经典小故事　人生大智慧

小故事大道理

大全集

（第四卷）

翟文明　编著

华文出版社

17. 过河

傍晚快涨潮时，摆渡人越来越忙了——大家都急着早点赶回家去，免得再过一会儿浪头太大，摆渡人收摊回家。

果然，半小时后，眼看着浪头越来越大，摆渡人准备停船了。

“老人家，等一等。”不远处有 4 个人边向岸边跑边大声喊着摆渡人。等他们走近了，摆渡人看清这 4 个人分别是官人、商人、大侠和樵夫。

“老人家，您把我们渡过去吧。”4 个人同时说道。

“浪头太大了，我不敢再渡了。”摆渡人摇了摇手。4 个人急急地跟他说了半天，他才同意再渡最后一趟。不想大伙还没来得及高兴，他又来了一句：“我的船太小，每次只能渡 1 个人，你们谁先来?”

这下子，4 个人可争开了，口沫横飞了半天，谁都说服不了谁。

“这样吧。”摆渡人开口了，“你们各自说说自己的特长，谁能打动我，我就送谁过去。”

“我先来，”官人向前一步道，“我手中权力无穷，脑中智慧多多。如果你肯渡我过去的话……”

“那就让你的权力和智慧送你过河吧。”摆渡人面无表情地说了一声，转向商人，“你有什么特长?”

“我有的是钱!”商人一边说，一边急急解下肩上的褡链，“如果你肯送我，我愿意给你两倍的钱。”

“你呢?”摆渡人转向了大侠。

大侠双眉一竖，抽出半截剑道：“我的特长就是武术，如果你敢不渡我，我就……”

“你有什么特长呢?”摆渡人打断大侠的话，转向了樵夫。

“我，我，”樵夫一急之下，哭了起来，“我不当官，没钱也没武功，看来我是过不了河了。可怜我的妻子和孩子啊，他们还在等着我卖掉这担柴买米下锅呢!”

“哦，那你上来吧！”摆渡人出人意料地说，“真情是最珍贵也最有用的特长。”

大道理 真情永远是人性中最珍贵的底色，当权势、金钱、武力等等都苍白无力时，它依然能够唤发出无穷的力量，打动人心。

18. 两个电话

电话亭里一个顾客也没有，老板正无聊地坐在电脑前玩着扑克牌。这时，一个男孩进来了。男孩坐下来，开始拨电话。不知为什么，当电脑上显示“电话已接通”时，男孩忽然放下了听筒，大概 5 秒钟之后，他才又按下了“重拨键”。

通话后，老板转过身来收钱。

“第一遍占线？”老板问道。

“没有。”男孩回答。

“哦，我知道了，给女朋友打的吧！”老板换上一副“恍然大悟”的表情，“吵架了？”

“哦，不，是给家里打的。”男孩回答。

“给家里？那干嘛要拨两遍号啊？第一遍没想好说什么？”老板不解地问。

“不是，”男孩微笑道，“我爸妈都是急性子，一听到电话响就着急去接。有一次，为了不让我在这边等急了，妈妈从院子里拼命往屋里跑，经过门槛时，一下子绊倒了，弄得膝盖肿了好几天。从那时候起，我就跟父母约定，每次打电话我都会拨两遍，第一遍拨通就挂。这样，他们就会有足够的准备时间，最起码不用再跑了。”

听到这里，老板的眼睛微微有些发红，也许是为了掩饰，他立刻接过男孩递过来的 5 元钱，找了零钱，让男孩走了。

透过玻璃，老板看到男孩的身影越来越远，然后拐了一个弯，不见了。

“妈妈，是你吗？”一听电话接通，老板立刻冲听筒喊道，“妈妈，我要跟你做个约定。以后啊，我每次给家里打电话都打两遍……”

大道理 孝顺父母，不仅仅是物质上的赡养，还包括精神上的体贴和心灵上的安抚。而且相比前者，后者往往更重要，也更让老人欣慰。

19. 血色母爱

这是一个发生在奥地利的真实故事。

故事的主人公是一位刚满 13 岁的女孩罗莎琳和她的母亲。罗莎琳是个不幸的孩子，她刚出生不久，父亲就去世了。为了不让女儿再度遭遇可能的不幸，年轻的母亲选择了独自生活。她找了一份清洁工的工作，靠菲薄的薪水养育着幼小的女儿。尽管有坚强母亲的用心护佑，可是贫困的家境、他人的歧视和欺侮，还是让罗莎琳长成了一个性格孤僻、胆小羞涩的女孩儿。

好在不管日子多么难过，小小的罗莎琳还是一直享受着“幸福”的感觉，因为她尚且拥有世界上最伟大、最纯洁、最不顾一切的母爱。可是有一天，上帝连她的母亲也夺去了。

那是 2002 年春天的一个下午，为了锻炼女儿的胆量，母亲带着她去阿尔卑斯山滑雪，不想在雪地里迷了路。没有任何雪地自救经验的母女俩惊慌失措，吓得大声呼救起来，谁知呼救声竟然引起了一连串的雪崩，她们一下子被埋进了深雪里。出于求生的本能，两人一直拼命地刨着雪，但当历经千辛万苦爬出雪堆时，黑暗的天色却令她们更加茫然不知归路了。

忽然，半空中传来了救援直升机的声音，母女俩顿时喜出望外地摇起手来，可是由于两人都穿着与雪色相近的银白色羽绒服，救援人员始终未能发现她们。

在冰天雪地里苦熬了一夜之后，体弱多病的罗莎琳已经昏了过去。望着女儿年轻娇嫩的面容，绝望的母亲做出了一个惊人的决定……

罗莎琳醒来时，发现自己正躺在医院里，而从未离开过她的母亲却不在身边守候着。

“我妈妈呢?”她十分虚弱地问道。

医生告诉她：为了救她，她的母亲用岩石片割断了自己的动脉，然后围着她爬了一个大大的圆圈，让血迹把女儿包围起来，以便让救援人员注意到。当救援人员发现时，母亲已经死去多时。

“妈妈——”罗莎琳撕心裂肺地哭起来。

在场的人都默默流着泪，谁也没劝罗莎琳，大家都知道，什么语言都劝阻不了失去母亲的悲痛，这是一个人所能经历的最悲惨的事情。

大道理 没有任何东西能让人无比幸福和富有，除非是拥有母亲的爱。没有任何遭遇可以称得上“悲惨”，除非是失去了母亲的爱。

20. 母亲与我

1岁时，母亲白天做工没空管我，我就用整晚整晚的大哭大闹，不让她睡觉来“报复”她。

3岁时，母亲精心为体弱多病的我准备着一日三餐，我却动辄就大发脾气把碗盘扔满地。

6岁时，母亲送我去上学，盼望着我能好好读书，我却偷偷在课堂上看小人书、连环画。

9岁时，母亲省吃俭用给已经知道爱美的我买新衣服、新发卡，我却总因为自己的东西比不上别人的而负气哭闹。

14岁时，母亲想到我寄宿的中学看我，我却因为怕又老又丑的她给我丢脸，从而拒绝她的到来。

17岁时，母亲再三叮嘱我认真学习，好好准备来年的高考，我却不顾一切地跟一个男孩牵手谈起了“恋爱”。

20岁时，母亲含笑亮出为我新买的棉大衣，即将大学毕业的我却因为嫌它太土而一直压在箱底不肯穿。

22岁时，母亲很希望大学毕业的我能找个离家近点的单位，我却犹如出笼小鸟一般飞到了几千里以外的南方。

23岁时，母亲在电话里谈到手脚冻疮一直不好的问题，我很想把她接到我租来的房子里住，因为那里有暖气，可因为大包小包的太麻烦，我最终放弃了这个打算。

24岁时，母亲试探着问我男友的情况，我却不耐烦地告诉她："我的标准跟你的不一样！"

25岁时，母亲帮我支付了婚嫁的费用，还流着泪拉住已经穿上红嫁衣的我的双手，我却抽出手，跟爱人去了千里之外的大城市。

28岁时，母亲喜不自禁地询问我宝宝的情况，还自告奋勇地说愿意前来帮我照看宝宝，我却告诉她："不行，你不会教我的孩子说英语，还会让他满口家乡话。"

33岁时，母亲说她最近身体不舒服，希望我有空回家看看她，我告诉她："这一段时间不行，我太忙了。"

35岁时，父亲打来电话，说有急事让我回家一趟。"什么事?"我懒懒地问。"你妈妈不行了！"父亲答。

我的脑袋里忽然有无数个响雷同时炸开了。我哭，我喊，我叹"子欲养而亲不待"，但叹过了，我忽然狠狠地打起自己的嘴巴来——母亲从没有"不待"，她等了我30多年，是我自己的无情，让一切变成了这追悔莫及的局面！

大道理 母亲对于孩子的关心和爱，总是远远大于孩子对母亲的关心和爱。身为子女，我们也许不能扭转这一"规律"，但至少我们能够也应该把二者的距离缩小一些。

21. "铁娘子"与出色的家庭主妇

在这个小故事中，"铁娘子"和出色的家庭主妇是同一个人，都是撒切尔夫人。

1979年5月，撒切尔夫人——一个杂货店老板的女儿，当选了英国历史上第一位女首相，并且连任两届，执政时间长达11年之久。你也许不相信，这样一位叱咤风云的政坛领袖，居然同时是一位出色的家庭主妇。

每天早晨6点钟，撒切尔夫人会准时为丈夫丹尼斯准备一杯滚烫的咖啡和一份可口的早点。某天，她在一场重要会议散场时看了一下手表，然后顺口说道："哦，时间还来得及，我要赶到街口的食品店为丹尼斯买些他喜欢吃的熏肉。"这句自言自语的话几乎令所有听到的人都大跌眼镜，谁都不敢相信，刚刚还雷厉风行、无比刚毅的撒切尔，竟然在一瞬间变成了温柔体贴的好妻子！

那么，这位举世闻名的"铁娘子"何以会有这份柔情呢？关于这一点，撒切尔夫人曾经坦言："家庭生活是否幸福，会对一个人产生巨大影响。"也许正是因为明白这一点，她才做到了与丈夫长期友好相处，共同创造幸福生活吧。

的确，现实生活中，撒切尔夫人非常关心丈夫，并且相当支持他的事业。同样，丹尼斯也在方方面面给予了撒切尔充分地关心和支持。他们夫妇二人有着共同的政治观点，兴趣爱好也大致相仿，比如都喜欢看书、结伴旅行、听音乐等等。最值得一提的是，做家务时，撒切尔夫人会不厌其烦地告诉丈夫应该怎样去做，并且自己也包上头巾、系上围裙，和他一起做。

由于以上种种原因，这对夫妇的家里总是充满温馨和幸福。正如撒切尔夫人所说，这种幸福给她带来了"巨大影响"——她可以永远不被家庭烦恼所打扰，永远把充沛的精力放在事业上。

大道理 一屋不扫，何以扫天下！虽然说人与人不同，擅长的方面也不同，但作为女人，有能力管理家庭者当然更容易学会治理国家。

22. 一包瓜子仁

一个年轻人因为犯罪被投入了监狱，母亲天天都觉得愧对儿子，觉得是自己教育不当使儿子犯了法，虽然儿子所犯的罪行与母亲根本没有任何关系。

在一个探监的日子里，这位老母亲来到了监狱。与她同行的有很多探监人，他们纷纷拿出自己为亲人买来的物品，比如巧克力、CD机、新衣服以及各种只有城里才有的新鲜玩意儿等等。轮到这位来自农村的老母亲时，大家都静静地扭过头来看着她，想知道没有钱买东西的她会给儿子带来些什么。果然，她没能拿出令人眼睛一亮的礼物来，她掏出来的只是一包葵花子，但是，这些葵花子全都没有皮。她告诉儿子："这些瓜子是娘自个儿种的，在来之前的那几天，我先炒熟了，然后又全嗑好了，因为我怕你在狱中劳动没有时间嗑……"

顿时，众人的眼睛全都蒙上了一层水。

也许，在这位母亲的眼里，儿子永远都是个好孩子，好孩子犯了错，别人不原谅，但作为母亲，自己是必须原谅的。

不得不说的是，起初那位犯罪的儿子对母亲的到来不冷不热，可是当他看到母亲掏出来的一大包瓜子仁时，两行热泪便不由自主地滚落了下来。他明白自己家里的境况，知道母亲千里迢迢来探望他，肯定是先节省了好几个月的日常开支，又卖掉了家里的什么东西。还有，这么一大包瓜子仁，母亲是多少个夜晚不睡觉才嗑完的啊！想想自己作为儿子，现在本应该是奉养母亲的时候，而自己非但不能，还要让老母亲为自己担惊受怕，这是何等的不孝啊！

那个"好好改造，争取提前出狱"的念头是不是在儿子流泪的那刻形成的，谁都不知道，但是大家后来都看到了，这个原本被判 10 年徒刑的年轻人，仅服刑 6 年便被提前释放了，而且在后来的许多年里，他一直安分守己、至孝至诚。

大道理 母爱的力量是其他情感都无法企及的，包括爱情。它不但能宽恕一切无知与罪恶，还能把一切无知与罪恶挽救成善良与赤诚。

23. 父母之爱

这是一个美满幸福的家庭，由夫妇二人和 3 个女儿组成。多年来，一家人始终相亲相爱，小日子过得有滋有味。

一年夏天，经过父母的允许，三姐妹驾车去郊外旅游。由于两个姐姐早就取得了驾照，而且有丰富的驾驶经验，所以新近拿到驾照的妹妹只能半是羡慕半是嫉妒地看着姐姐们驾车而行。

很快，大姐和二姐便看出了妹妹的心思，于是她们商量，在繁华的闹市区由她们两人驾车，到了人烟稀少的地方，就让小妹练练手艺。这样，到了郊外时，驾驶位置上就换成了刚满 16 岁的妹妹。第一次享受到给家人当司机的感觉，小妹兴奋得有说有笑。可是，由于缺乏经验，本想在红灯亮起之前闯过路口的她，心慌之下未能如愿，反而和一辆从侧面驶过来的大卡车相撞了。事故的最终结果是：大姐当场死亡，二姐头部受伤，她腿骨骨折。

接到电话后，心急如焚的父母立刻赶到了医院。尚清醒的妹妹本以为会被父母狠狠地责怪，不想父母却只是紧紧拥抱着她和二姐，热泪纵横。然后，父母抬手擦干了两个女儿脸上的泪痕，开始谈笑，就像什么事情也没有发生过一样。

从那件事到现在，好几年过去了，对于这两个幸存的女儿，尤其是对她，父母始终温言慈语，行为出乎所有人的意料。终于有一天，她忍不住问父母，为什么一直不教训她，要知道大姐可是死于她闯红灯所造成的车祸。

父母温和地看着她，淡淡地回答道："你大姐已经离开了，无论我们再说什么或者做什么，她都不可能起死回生。而你还有漫长的人生，如果我们责难你，你就会背负着'造成姐姐死亡'的沉重心理包袱，进而丧失一个完整、健康和美好的未来。你们姐妹仨都是父母的宝贝儿，我们怎么愿意失去一个后再失去另一个呢?"

听完这话，一向坚强的妹妹一下子热泪纵横了。

大道理 不幸的事件发生后，当事者应从中汲取教训，第三者应宽恕原谅做错事的人，因为事后的责备不但一点用处也没有，还可能让情况变得更糟。

24. 如何爱人

多年前，一个住在曼哈顿贫民区的非裔美国家庭，很意外地获得了 1 万美元的人寿保险金。这笔钱顿时给他们全家带来了莫大的喜悦和希望，母亲认为可以用这笔钱让家人搬离贫民区，到一个条件更好的地方去居住；聪明的女儿则想用它去医学院念书，以实现自己多年来想当医生的梦想；然而最后，一向老实巴交的儿子却提出一个让人难以拒绝的要求：他乞求获得这笔钱，好让他跟“朋友”一起开创事业，使全家人脱离贫困，过上好日子。

母亲思忖再三，终于把钱交给了儿子，因为她深知，按照儿子的性格，得到这样的机会真是太不容易了。但结果，儿子的那帮所谓的“朋友”骗了他的钱后便逃之夭夭了。

一时间，绝望的儿子悲痛万分，对生活失去了信心。而女儿则愤怒异常，认为哥哥犯下了不可饶恕的罪过，他不仅粉碎了自己的梦想，还粉碎了全家人的梦想。于是，她开始用各种难听的话责备兄长，对他的无能表示出莫大的鄙视。

当女儿终于累到停止责备时，一直沉默的母亲抬起了头：“女儿，你应该爱他。”

“什么？”女儿立刻又怒不可遏起来，“爱他？他根本没有可爱之处！”

“如果你这么说的话，那我只能说从这件事中，你什么也没有学到。”母亲很平静地回复道，“孩子，你认为什么时候最该去爱人？难道说是当他们把事情都做好了，让人感到舒畅和骄傲的时候吗？”

听了这句话，女儿吃了一惊。

“如果是那样的话，你的爱肯定不是真爱。”母亲盯住女儿的眼睛，以不容置疑的语气说道。

“我明白了，妈妈。”女儿突然泪流满面地答道，“真正的爱应该出现在他最脆弱、最不自信和已经受尽折磨的时候！”

“经历了这件事，你终于改变了你的人生态度。”母亲忽然微笑起来，“你现在这个样子，才像一个长大的人，未来的路，我可以放心地让你走了。”说罢，母亲象征性地张开了手臂。

在之后的很多年中，妈妈当初关于“真爱”的那句话始终影响着女儿。也正因为了解了“真爱”的涵义，所以女儿才最终成了一位非常受人爱戴、口碑极好的医生。

大道理 爱，不仅应该出现在对方人生顺利、令人舒畅和自豪的时刻，更应该出现在他意志消沉、受尽折磨的时刻，而且相对来说，后者才是真爱与否的试金石。

25. 只有你懂得欣赏我

自从上小学开始，阿强成绩就一直不好，数学成绩尤其差劲。三年级的一天，因为他数学不及格，数学老师把他的母亲喊了去。

看到母亲回来，阿强仰着小脸，怯生生地问母亲："妈妈，老师有没有骂我?"

"当然没有，"母亲抱住他，用温暖的额头抵住他小小的额头，"老师说你进步了，还说下次你一定能考得更好。"

结果，阿强下一次真的及格了。虽然与别人相比，那 63 分的成绩算不了什么，可是对于他来说，却是很难得的进步。

小学毕业后，母亲跟他一起去看考试成绩。因为害怕考不上，阿强始终不敢抬头看榜。不想刚刚走出校门，母亲便满脸欢喜地拥住了他："儿子，你考得很好，比你的实力要强一些。妈妈相信，考高中时，你一定能考出更好的成绩来。"其实，阿强考上的只是一所相当普通的中学。3 年之后，中考来临了，结果阿强考上了一所还算不错的高中，并且总成绩排进了全班的前 10 名——这可是他 9 年以来考出的最好名次。

高一期末考试后，母亲再一次被老师叫到了学校里。回来时，她高兴地告诉阿强："孩子，老师说你很有潜力呢，还说你一定能考上清华。"其实她的手里，攥着的是一份孩子考全班倒数第七的成绩单。

又过了 3 年，当初的那个笨小孩真的创造出了奇迹——考上了清华大学!

当母亲激动地向儿子祝贺，并说他以后必然能考到外国去深造时，阿强哭了。他伸出双手拥住母亲，说道："妈妈，我一直记得你那次带我去看海时所说的话。那时，我们一起坐在沙滩上，你指着海边对我说：'你看看那些在海边争食的鸟儿，当海浪打来时，小灰雀总能迅速起飞，而海鸥却总显得十分笨拙。但是，最后真正能飞越大海横过大洋的，却是海鸥。'我知道自己不聪明，但是因为有你，我走出了最出色的人生。只有你懂得欣赏我!"

听到这句话，妈妈哭了，然后又笑了。

大道理 懂得欣赏孩子，是母亲的职责，也是母爱创造奇迹的必要前提。记住：每一个孩子都有无穷的潜力，而母爱是帮孩子挖掘潜力的最好工具。因此，当面对孩子的弱势时，请鼓励而不是责备他。

26. 斗牛士与爱情

在以斗牛著称的西班牙，美丽的姑娘波西与一位勇敢的斗牛士相爱了。偷尝了爱的禁果之后，两人约定了婚期——万圣节时，会有一场全民瞩目的斗牛竞技赛，赢得那场比赛后获得的丰厚的奖金将足够他们举行婚礼。

这一天终于到来了，在观众的欢呼声中，斗牛士走进了竞技场。1次、2次……他全神贯注地与那头雄壮的公牛交锋着，波西目不转睛地盯着心爱的人，心里一直在紧张地祈祷着。眼看着鲜血淋漓的公牛渐渐体力不支，斗牛士的心头略过一丝兴奋，胜利在即了！但是万万没想到的是，当他挥舞长剑准备最后一刺时，脚下的一个小坑让他的身体失去了平衡，恰在此时，愤怒的公牛冲了过来，用锋利的牛角刺穿了他的心脏……

20年后，另一位勇敢的斗牛士取代了他在人们心中的位置。在又一次全国斗牛大赛中，这位年轻的勇士获得了骄人的成绩，看台上掌声雷动，一位年近半百的妇人此时却老泪纵横，只见她双手合十，抬头望天，喃喃地自语："你看到我们的儿子了吗？……"原来，她是波西！而台上这位年轻的勇士，就是她与斗牛士的儿子！

大道理 真正的爱情犹如一块璞玉，岁月是无法摧毁和磨蚀它的，而只会把它雕琢得愈发璀璨与珍贵。真正的爱情也是能够穿越时空的，即使阴阳相隔，只要心中有彼此，眼前的一切也会成为爱的见证。

27. 晏子拒婚

晏子是春秋时期齐国的名臣，以才华闻名于朝野之中，齐景公在为宝贝女儿挑选女婿时选中了他。娶公主这样一位知书达理的绝代佳人不知道是多少人的梦想，可是晏子却一点也高兴不起来，因为他早已与原配夫人誓同生死。

想来想去，晏子决定冒死拒婚，于是他把齐景公请到了自己的家里，让自己的夫人前来斟酒侍奉，然后故意表现出对夫人的怜惜疼爱。等夫人退下去之后，齐景公道："唉，你的夫人真是又老又丑啊，比我那年轻貌美的女儿差远了。"

晏子等的就是这句话，他立刻跪下去，恭敬地回答道："臣的糟糠之妻的确是又老又丑，可这是因为她把最美好的年华都给了我，在我耗尽了她的美貌之后，又怎么可以弃她于不顾呢？再说，婚姻本来就是两个人相互托付终身的大事，我娶了她，就是接受了她的托付，就是承诺了终身照顾她，而守诺是任何一个人都应该遵循的道德准则，身为君侯将相者更应当以身作则。所以，请您收回成命，允许我对我的妻子遵守诺言。"

就这样，晏子拒绝了这门婚事。

大道理 婚姻，是两个人相互托付终身的人生"大"事，一旦走入，便不论岁月变迁、容颜老去，双方皆要严格遵守对另一方的庄严承诺，不可因对方年老色衰而心猿意马。

28. 绝世恋情

美国加州攀岩俱乐部是爱好无防护攀岩的人士组成的一个组织。这个组织最大的规则就是：无论多么艰险，攀援时都必须徒手，不能借助任何辅助性的工具。

罗夫曼和妻子莫莉亚丝都是这个俱乐部的忠实成员，此时，他们正和其他成员一起攀登一个陡峭的悬崖。也许是习惯了这样的挑战吧，两人看起来相当轻松，就好像在游山玩水一般，不一会儿，他们就成了众人们仰视的风景。

眼看着身手敏捷的罗夫曼就要到达顶峰了，下面的人们情不自禁地为他鼓掌欢呼起来。可是就在此时，不幸发生了，罗夫曼突然惨叫了一声，他失足了！他的身体迅速向山下跌去，而山下，就是深不见底的万丈深渊！位于丈夫左下方五六米的妻子莫莉亚丝被这一幕吓呆了，但是经过零点几秒的反应之后，她做出了一个惊人的动作——毅然脱离了崖壁，准确地搂接住了正在跌落的丈夫，两人紧紧拥抱着，一齐坠向深谷……

所有亲眼目睹这一悲剧的人都呆住了，而莫莉亚丝那个漂亮的搂接动作，则被摄影师定格成了绝版的旷世经典。

大道理 生命诚可贵，爱情价更高。真正的爱情绝不只是花前月下、甜言蜜语，而是命运相连，福难同当。在面临生死抉择的那一瞬，虽然付出自己的生命不一定就能挽救对方的生命，但是却一定能够挽救爱情！

29. 女王敲门

英国一代女王维多利亚与丈夫艾伯特的婚姻一直被百姓认为是幸福美满的。但是再平静的海面也难免有一时的浪花，再美满的生活也会有不和谐的音符，关键就在于两个人如何协调。

有一次，维多利亚因为一点小事跟丈夫争吵了起来。在大庭广众之下丢了面子，艾伯特悻悻地回到家里，紧闭着卧室门再也不出来。

晚上，维多利亚回家时见房门紧闭，才想起今天吵架的事。细想一下，觉得自己实在不对，不该那么任性。最重要的是，不该在那么多人面前不给丈夫留情面。但是她转念又一想，我是堂堂的大英女王，有点脾气算什么！于是，她伸手敲门。

"谁?"丈夫在里面问道。

"女王!"维多利亚盛气凌人地答道。

结果，房间里一点回音也没有，门还是那样紧闭着。等了良久的维多利亚不得不再次敲门。

"谁?"丈夫还是这样问道。

"维多利亚!"维多利亚略有些委屈地答道。

结果，房间里还是一点回音没有，维多利亚不得不第三次敲门。

"谁?"丈夫还在问着。

维多利亚不得不柔声柔气地答道："你的妻子。"

这一次，门开了。

大道理 婚姻中只有完全平等的丈夫和妻子，没有君主与臣下，也没有主人与奴仆。只有首先认识到这一点，并把所有的头衔都抛下，幸福的婚姻之门才会敞开。

30. 寻找自己

风景如画的溪流边，两位偶遇的年轻男女一见钟情，相互倾诉爱慕之后，两人相拥而去。

数日之后，那位年轻的姑娘又重新回到了溪流边，她坐在一块大石头上，盯着东去的溪水陷入了沉思，美丽的脸上闪着迷惑的神色。

"你怎么了？美丽的姑娘。你看起来好像心事重重。"一位大哲学家走过来问她道。

"我丢了东西。"姑娘回答道，"几个月前，我和他在这里相遇，然后我们相爱了。可是自从爱上他之后，我就发现我弄丢了我自己。我活在他的世界里，随着他的着急而着急，随着他的失落而失落。他开心了我才会快乐，他忧伤了我也会高兴不起来。见不到他的时候，周围的一切都成了他，而见到他的时候，他又成了一切。我似乎是因他而生，也要因他而死。我很迷惑，我不知道自己到哪里去了，所以我来到这里，想寻回原来的自己。”

没想到，哲学家听完后哈哈大笑起来：“这就对了，我亲爱的孩子。当爱情产生时，两个人便会融为一体，他的自我会占满你的空间，你的自我也会填充他的世界。如果不是这样，你们就根本没有相爱。所以，你不应该来这里，而应该去他的世界里寻找你自己。”

大道理 相爱之后，便会你中有我，我中有你。两个人的相爱，就像两条河流相遇，会消失在彼此的情感里，融合成一个新的整体。

31. 弯曲的雪松

在加拿大，有一条奇特的山谷，它两坡的植物大相径庭：西坡松树、柏树杂树丛生，东坡却只有雪松。这个现象引起了众人包括一些植物学家的兴趣，但是无论如何，他们也研究不出个所以然来。

他们是一对正面临婚姻崩溃的夫妇，来此地旅游的目的就是为了再次回顾一下当初的爱情，然后平静地说分手。很不巧地，他们刚到达山谷，纷纷扬扬的大雪便下起来了，不一会儿，山谷里便白茫茫一片了。没办法，他们只好找个比较平坦的地方搭起帐篷，暂时躲避一下风雪。当从帐篷里面往外看时，两个人几乎同时发现了一个现象：由于山谷的地形所致，风总会把更多的雪吹向东坡。这样，相比西坡的松柏们，这些雪松自然要承受更多的压力，但是当雪积到一定厚度，眼看着雪松就要被压折时，它富有弹性的枝丫总会向下弯曲，让雪滑落下去。

“东坡原来也肯定长过好多杂树，只是它们的枝太硬，弯曲不了，所以全被大雪摧毁了。”妻子漫不经心地说道。

突然，两个人都因为这句话愣住了，不是因为发现了东西坡的秘密，而是发现了维持婚姻的秘诀！

大道理 两个并不完全相同的人在一起生活，磕磕碰碰总是难免的，适当地包容和低一下头，才能保证婚姻之树常青不败。如果一味地坚挺，别人会累，你自己也会折断。

32. 爱情如沙

美丽的女孩就要出嫁了，她希望对方能够永远像恋爱时一样珍爱她、怜惜她，永远对她不离不弃，直至白头。

在出嫁的前一天晚上，女孩跟妈妈聊起了爱情："妈妈，你说他会一直对我这么好吗?""这在于你自己的把握啊，好孩子。"妈妈微笑着，以温和的口气说道。

"可是爱情就像月亮，总会有阴晴圆缺的，要怎么把握才好呢?"想起父母的感情一直不错，女孩接着问道："妈妈，你一直和我爸爸的感情很好，你能把你的秘诀告诉我吗？你是怎么做到这一点的呢?"

母亲想了想："不要握得太紧。"

"嗯?"女孩有些迷惑，"不握紧不就丢了吗?"

母亲笑了笑，从地上捧起一捧沙："两个人之间的爱情就像这捧沙，你看，如果你松松地捧着，沙就会圆圆满满、安安稳稳地待在你的手里，一点也不会洒落。可是如果你用力握住呢?"说到这里，母亲将双手握紧了，细密的沙子立刻从母亲的指缝里流了出来，"现在，你再看。"母亲把双手摊开了。

女孩看到，原本圆满的沙子只剩了不到一半，而且已经被挤得严重变了形，再无刚才的柔软完满之态。于是女孩明白了。

大道理 爱情如沙，越是刻意去抓牢就越容易失去。而给予一定的宽容和谅解，并时刻注意留给对方充分的活动空间，爱情生活反倒会圆圆满满。

33. 牵手

女孩一直觉得男孩不够爱她，因为男孩从来没有对她说过任何甜言蜜语，也不曾给她送过一次玫瑰花，即使是在情人节。想想自己需要的可是一位浪漫多情的白马王子，女孩决定和男孩分手，日期就定在自己生日那天。

这一天终于来临了，女孩毫不犹豫地对男孩提出了这个要求，男孩没有作声，只恳求说让我陪你过完这个生日吧，女孩答应了。

下午时，他们一起去购物，女孩似乎在发泄心中的不满，气鼓鼓地买了许多东西，男孩便大包小包地拎了许多东西。从他胳膊上突起的青筋看，他手里的东西可绝对不轻，但是男孩一言不发地跟在女孩后面。

横穿马路时，看看正是交通高峰时期，男孩便把所有的东西都移到了一只手上，另一只手牵住了女孩。没想到这个小小的动作一下子就感动了女孩，看着男友的那只手被勒出一道深深的沟，这只手却紧紧地牵住自己，她一下子泪眼朦胧了。

到了马路对面，男孩正欲把东西分到两手时，突然听到了一句出乎意料的问话："我们什么时候结婚?"是女孩的声音。

大道理 甜言蜜语、鲜花礼物是爱的方式，却非爱的标志，因为最真挚、最深刻的爱往往体现在一个个不起眼的细节中。当他用一只手承担超额的重量，只为了腾出另一只手给你一点安全感时，他是值得你托付终身的人。

34. 爱的秘密

一位老人在即将离世时，拉过老伴的手："我要告诉你一个爱的秘密，这个秘密压在我心底已经很多年了，它一直在折磨着我，压抑着我，让我寝食难安，良心不宁。”

老伴笑了笑，脸盛开得像一朵大菊花：“你是说齐璇的事吗？”

老人惊讶地睁大了眼睛：“你，你是怎么知道的？你什么时候知道的？”

老伴依然在微笑着：“20 多年前我就知道了，给你洗衣服时我从衣袋里发现了那封信。”

老人拍拍额头：“那你恨我吗？”

老伴静静地看了老人一会儿：“如果你真想听实话，那我就告诉你，我不恨，一点也不恨。现在，除了那个名字，那封信的内容我已经一点也不记得，但是，我们之间的点点滴滴我却记得清清楚楚。我记得，我生了女儿之后小腹受寒一直在痛，你一个大老爷们儿竟然坐在灯下一针一针地给我缝着前片双层的内裤；我记得，那次下大雨我忘了带伞所以等雨停了才下班，出了工厂门发现你在等我，浑身都湿透了；我记得，我的牙掉了以后你再也没买过一次你最爱吃的天津麻花；我还记得……”

老伴没有注意到，老人已经溘然长逝了，脸上带着一种倏然明了的微笑。

大道理 世界上任何人与事都不会完美无瑕，婚姻亦是。把眼睛放在太阳的万丈光芒而非那几粒黑子上，是我们幸福一生的最大秘诀。

35. 麻将刘戒赌

麻将刘原名刘恒，因为非常喜欢打麻将而得此外号。看到丈夫一赢就兴高采烈，一输就垂头丧气，贤惠的妻子小春决定劝导他一下。当然，聪明的她虽然生气丈夫的好赌，却晓得不能硬碰硬，所以便非常温柔地对丈夫说道：“其实你完全可以不难过的。”

“我输了好几千哎。”小刘嚷嚷道。

“你为什么要说自己‘输’了呢？你完全可以说自己‘花’了嘛。如果把打麻将当成赌博，你肯定会为自己的失误后悔不迭，但如果把它当成一种娱乐，认为不过是花钱雇了几个人陪你玩，一切不都好了吗？”小春说。

小刘抬起头来看着妻子，似乎若有所思。小春笑笑又接着说道："这不过是一种娱乐，就像打保龄球、唱卡拉 OK 一样。你晓得没有不花钱的娱乐，所以就干脆把输钱当成正常，把赢钱当成捡便宜得了。谁都知道，便宜捡多了必然有大亏吃，所以还不如不捡这个便宜呢。"

想想妻子的话有道理，小刘便开始琢磨：反正到哪儿花钱也是花钱，我干嘛又花钱又让自己不舒服呢，干脆我去玩别的得了。

就这样，没过多久，好赌的小刘竟然改掉了多年的坏习惯。

大道理 任何娱乐活动都应该有个限度，但是如果这个限度是外界的强硬标准，当事者往往会产生逆反心理。所以，与其上纲上线，不如宽容以待，令其产生自我审视之心，从内部攻破堡垒。

36. 两个女人的婚姻

姚丽和李如是老乡、好朋友，还一直是同学，谈恋爱时，那两个男孩又恰巧是好朋友。两个人的前半生是如此的相似，她们的后半生还会相似吗？

作为护士，姚丽非常爱干净，不管冬天夏天，她每晚睡觉前必然会洗澡，而且不但自己洗，还强烈要求老公也洗。她的老公是一位建筑师，每天都忙得要死，晚上 12 点钟以前很少能回来，所以无论是精力、时间，还是作为男人的本身习惯，他都不愿意天天洗。可是姚丽每次都不依不饶，不洗的话就不让他进屋睡觉。1 年后，老公终于受不了了，向她提出了离婚，尽管两个人还互相爱着。

那么李如怎么样呢？她很幸福。是不是她和她老公之间一点摩擦都没有？不是的。她的老公有一个癖好——哪怕是洗了几遍的苹果，他吃时也要削掉厚厚的一层，说"皮上有农药残留"。李如心疼这种浪费，跟老公吵了好几次，不见效之后她改变了策略——反正自己不觉得有事，那就干脆把老公削掉的皮吃掉呗，这样不就既不用吵架，也不会浪费了吗？就这样，两人一直过得很和谐。看来，结婚并非是选择爱情，而是选择生活方式。不懂这一点的人，恐怕永远不会得到幸福。

大道理 婚姻的组建是源于爱情，其破裂却未必是因为没有了爱情，维系婚姻的钮带除了爱情，更重要的是改变自己与宽容对方。

37. 玛丽的抱怨

玛丽嫁到列文家快30年了，在她的记忆里，自从结婚后，列文从来不曾给她买过玫瑰花，尽管他知道她是那么喜欢玫瑰。而且，尽管她尽职尽责地做着她的家庭主妇，把家里家外收拾得井井有条，可是列文从来不曾说过一句感激的话，似乎这一切都是应该的。整天过这样的日子，玛丽自然感觉非常不公平。

终于，她忍不住说了一句："列文，再这样干下去，我早晚会被累死。"

列文看了她一眼："不会的，玛丽，你一定能长命百岁。"

"那又能怎么样？我一点也不开心！"

"你怎么了，玛丽？"列文很吃惊。

"等我死了，你会不会给我买一捧玫瑰花作为祭奠？"玛丽哭丧着脸问。

"我当然会。"列文回答。

"可惜那时再多的玫瑰花对我都没有意义了，如果现在能得到那些花儿，反倒对我价值更大。"玛丽幽幽地说。

列文顿时明白了是怎么回事。第二天，玛丽的桌上就有了好大一捧玫瑰花，而玛丽的脸，也笑成了一朵玫瑰花的样子。生活中的你，是不是也犯了列文这样的错误呢？

大道理 每天都会有无数人在慨叹"子欲养而亲不待"之类的话，但是世间并没有后悔药可寻。唯一可以治疗这种痛的，就是在还来得及的时候，及时表达你的感激与爱。

38. 校报编辑

她刚进大学 10 天，家里就传来了噩耗，在一次史无前例的台风中，她的父母姐妹都死了，所有的房屋也倒塌了。从此，她再没有一分钱的生活来源。

哭过之后，她申请了退学——她已经没办法再读书了，只能回家种地去。家里还有 3 亩多地没被毁。

老师心疼地看着这个女孩，突然拍了拍她的肩膀："你到校报编辑部做兼职编辑吧，每月 400 块钱，先撑着，不够再说。"

就这样，她成了校报编辑部的一名兼职编辑，任务就是在每期校报出版的前一天，把大家上交的稿子整理一下，改改错字、病句，提提意见等。在课程不算紧张的大学里，这份工作对她来说算不上什么负担，却能为她提供读书、生活的费用。

再苦再难，她终于大学毕业了，经过申请，她成了校报的正式编辑。没想到第一天上班，主编就告诉她要从她每月 800 块钱的工资中扣除 50 块钱。

"行，可是为什么？"她很干脆，也很疑惑。

"为了资助下一个没有生活来源的兼职编辑。"主编告诉她。

她一下子愣住了：原来校报根本不需要什么兼职编辑！自己那每月 400 块钱是 8 位编辑各出 50 块钱凑成的！

大道理 许多善良的人都在默默地做着好事，这是世间美好、温暖以及不断改变的重要原因。而被救助的那些人，又是下一批"善良人"的重要源头。

39. 寻找完美的女人

他是一个非常自恋的男人，自觉只有最完美的女人才配得上他，所以他发誓一定要找一个无可挑剔的女人，否则就不结婚。从此，他就开始了一生的寻觅。

时间匆匆而过，一年又一年，男人渐渐从一个活力四射的小伙子变成了眼角长鱼尾纹的中年人，又从中年人变成了两鬓苍苍的老者。直到死前，他依然是孤身一人。

“难道这么多年，你就从来没有碰到过一个你心目中的完美女人？”一位儿时的伙伴、今天的老人问他。

“我碰到过一个。”他说。

“哦，快说说她是什么样的。”那位老人问。

“她真是个完美到极致的女人，美丽无比、身材一流、学识出众、人品优良、家庭出身也极好，真的是个无可挑剔的女人，恰恰符合我心目中追求的标准。”他的脸上挂着一丝微笑，似乎沉浸到了对初遇女郎情景的回忆中。

“既然这样，你干嘛不娶她为妻啊？”另一个老人显然非常不理解。

“没办法，”这个人摇摇头，满脸的遗憾，“她也在寻找一个完美的男人啊！”

“哦，那她现在肯定也是孤身一人。”另一个老人说道。

大道理 没有谁会十全十美，即便再慎重地对待婚姻，都不能追求完美无缺，否则，我们将注定孤独。其实，除了婚姻，这个道理还适用于世界上的很多事情。

40. 园林与棺材

古印度时，国王有位美若天仙的妃子，两人一直相亲相爱、举案齐眉。可是天妒红颜，不出几年，妃子便患了绝症，一命呜呼了。

悲痛不已的国王不想从此再也看不见爱妃，便命人为她打制了一口透明的玻璃棺材，放在了正殿旁边的小花园中，以便日日都能见到她。

过了一段时间，国王觉得这个小花园景色太单调了，根本不配爱妃绝世清俗的容颜，便下令将小花园扩建，并搜寻来各种奇花异草种植其中。

可是有花有草就需要有水，于是国王又命人开凿了一个人工湖。这样一来，原本不怎么起眼的小花园一下子变成了一个美轮美奂的人造园林。

秋天来临时，园林里各色花草树木都开始凋零，处处一片凄凉。国王知道自己的爱妃最不喜欢看到这种情景，遂再次下令召集全国的能工巧匠，在园中大建亭台楼阁，并在其上雕刻出精美的花纹装饰，甚至把一盆盆姹紫嫣红的假花放进了园中。

就这样，每隔一段时间，国王就会因为不十分满意而再修缮这个园林一次。由于大部分心思都集中在了怎么让园林更加完美上，国王去看王妃尸体的时间越来越少了。随着园林的日益美轮美奂，国王渐渐变成了白发苍苍的老人，而昔日绝代无双的王妃则早已经腐烂成了一堆白骨。

终于有一天，老国王游园时看到了已经数年不曾注意的王妃棺材，他很惊讶地愣了一下，心想这么美的园林，怎么可以让如此不协调的棺材放在其中呢？于是他挥了挥手说："把它搬出去吧。"

大道理 组建家庭是为了和自己心爱的人在一起，如果把心思全放到对家庭硬件的追求而非夫妻感情的培养上，不啻为一种舍本逐末的行为。它只会导致一种结果：房子还在，家却没了。

41. 多少钱的问题

这两位青年都刚结婚不久，都把自己的爱妻视为绝世珍宝，发誓此生不离不弃。

某天，一位哲人为了做一个关于道德的实验，找到了这两位青年，然后问他们道："我是一位家资无数的富商，现在我想用钱来买你们的爱妻，你们愿意吗？"

这个问题险些把这两位青年都激怒，他们几乎异口同声地说道："绝对不可能，这根本不是多少钱的问题！"

"500块钱，你们谁卖？"哲人不理会青年的"义正辞严"，微笑着问道。

结果两位青年都不屑地偏过了头。

“5 万呢?”哲人接着问道。

其中一位青年回头瞥了他一眼，冷冷地笑了笑，另一位则保持着原来的样子。

“500 万呢?”哲人又提高了价码。

此数一出，两位青年几乎同时“啊”了一声，都愣愣地看着哲人。许久，其中一位微微点了点头。

哲人转向了还在坚持的那位:“5000 万怎么样?”

那青年张大嘴巴，却是半天没出声。

“5 亿，这是最高了。”哲人故意表现出不耐烦的样子。

“好吧!”这位青年终于也投降了。

“看来，这就是多少钱的问题!”哲人头也不回，边走边说道。

——在 500 万之前，两位青年都是道德的。500 万时，一位走向了不道德；5 亿时，另一位也步了同伴的后尘。

看来，无论是谁，都有一个突破自己道德防线的临界点，一旦逼近或超过那个点，人就会置道德于不顾。

所以说，人之所以有道德，是因为受的诱惑太少。

大道理 面对种种诱惑，我们固然不可能纯洁到怎样也不动心的地步，但至少，我们可以不断提升自己抵抗诱惑的临界点，毕竟，对方的筹码是有限的。

42. 一只蝴蝶的力量

时值春末，百花盛开处，美丽的蝴蝶处处可见。

昆虫学家乔治扛着一根长竹竿走进了百花丛里，竹竿一头套了个透明的塑料袋，他是想捉只蝴蝶带回去做实验。当他毫不费力地网住一只嫩黄色的大蝴蝶时，却冷不防遭到了袭击。

那种袭击的力量其实很小，但是乔治却感觉对方似乎满怀仇恨。他扭过头去，发现袭击者竟然是一只小小的红蝴蝶。于是他摇头笑了笑，转身往回走去。没想到红蝴蝶再次向他俯冲过来，并且拼尽全力用头和身体撞击着他的头，一遍又一遍。当他停下脚步时，红蝴蝶也停止了攻击，转而飞到他竹竿的塑料袋上，和袋中的黄蝴蝶不断地碰触。

乔治明白了，这只红蝴蝶一定是自己捉到的那只黄蝴蝶的情侣。看到爱人遭遇到危险，红蝴蝶遂挺身而出，不顾一切地进攻着乔治，以期通过自己的努力让他感到，自己是多么地爱黄蝴蝶，希望他手下留情，放黄蝴蝶一条生路。

乔治的眼睛慢慢湿润了，他轻轻地抽回竹竿，把捏扁的塑料袋口重新拉圆，让被囚禁的黄蝴蝶飞了出来。两只蝴蝶围着乔治绕了几圈，好像是在表示感谢，然后便一起飞向远处了。

乔治喃喃地说道：这不是你的力量，红蝴蝶，这是爱的力量。

大道理 任何人与物，当被爱支撑时，都会生出无尽的勇气和力量。哪怕它再弱小，爱都使它有足够的能力保护自己的至爱。

43. 狼的启示

一位生物学家在蒙古大草原研究了数年狼群之后，发现了一个非常有趣的现象：每个狼群都有一个固定的活动圈，直径大概为 30 公里。当把几个相临的狼群活动圈按比例缩微到图纸上时，我们会看到几个圆圈是交叉的，既不完全隔绝，又不完全相融。

原来，各狼群在划分地盘时，总会留下一个公共区域，也就是上文中说的那个交叉部分。在这块地域内，各狼群可以相互杂交，可以相互表示友好。但是即便再亲近，它们也不会踏进属于对方群族的“不相交部分”，那可是对方保留自己个性与“完全主权”的区域。

其实数年来，并不是没有过两个活动圈重合或者接近重合的情况。每到那个时候，两个狼群便会反目成仇，互相厮杀，直至彼此都伤痕累累、元气大伤。而一旦活动圈相离，它们又立刻恢复到友好相处、互不干涉的和平局面。

此外，生物学家还发现，活动圈重合时，狼群会自相残杀；活动圈隔离时，狼种会退化。只有当两个圈子保持部分相交的状态时，整个狼家族才会既和平又健康地发展。

读过这个故事，我不禁联想起了我们人类生活中的一些事情。不知道大家有没有发现，一般来说，越是和我们关系最近的爱人和亲人，就越容易产生疏远感，有时候甚至会因爱生恨，造成令人难以置信的悲剧事件。那么，有没有什么法子能让相亲相爱的两个人永远和谐相处、其乐融融呢？从上述故事看，也许既相融又独立是一个好办法。

可以说，交叉圆理论向世人暗示了一种与亲人和爱人相处的艺术。亲密的两人之间，应该是两个相交而不相重合的圆。交叉部分是彼此共同的世界，可以尽享亲情和温馨，不交叉的部分则是各自独立的天地甚至是隐私。双方关系再亲密，也不应该将这部分慷慨让出，更不能因为一时矛盾让这部分无限扩大。否则，或者会彼此怨恨、产生冲突，或者会出现冷暴力，给双方都带来莫大的痛苦。这时候，无论是放弃还是继续，都将被赋予一种疼痛和悲壮。

大道理 只有保持最合适的距离，才可能拥有最完美的感情生活——既相互交融又彼此独立，这是亲密双方相处的最佳艺术。只是，在守卫个人独立空间的同时，请别忘了也尊重对方的这一领域。

44. 爱的养料

这个男孩很不幸，很小的时候，他便因为患脊髓灰质炎而失去了正常走路的权利，并且连上半身也受到了少许影响。稍大一点，奶牙脱落后，他新生的牙齿又参差不齐、向外突起严重，显得非常难看。

既腿脚不便又长相不佳，这使得小男孩甚为悲观，他甚至认为自己是世界上最不幸的人，所以他沉默且忧郁，从来不肯和同学游戏玩耍，连老师提问题，他都会低着头一言不发。

某年春天，父亲忽然从邻居家讨了些树苗，叫过他们兄妹几人，每人分了一棵，然后吩咐道："大家在院子里找个地方，把它们栽下去。等过一段时间，看谁栽的树苗长得最好，我就给谁买一件他最喜欢的礼物。"

几个孩子一听，立刻欢喜地栽树去了，只有不幸的小男孩一拐一拐地慢吞吞地干着。虽然他也想得到父亲的礼物，可是一看到兄妹们那蹦蹦跳跳、自由自在的身影，一种阴郁忧伤的想法充满他的心胸：让我这棵小树早点死去吧，反正我也没有力气照顾它，它最后只能和我一样——毫无生存的希望！这样想着，男孩便放弃了小树苗，除了刚栽上时浇过一两次水之外，他再也没管过它。

不想一个月后，与兄妹的树苗相比，小男孩的那棵树居然更加绿意盎然、生机勃勃。说话算话的父亲兑现了自己的诺言，给小男孩买了一件他最想要的礼物，并且告诉他，从他栽的这棵树来看，他一定能成为一位出色的植物学家。

自从这件事以后，小男孩慢慢打开了自己的心门，变得乐观积极起来。

某天晚上，失眠的小男孩正望着月亮发呆，忽然想起生物老师所说的植物一般都在晚上生长。于是，他在好奇心的驱使下爬了起来，想去看看自己那棵小树是怎么生长的。可是当他一瘸一拐地来到院子里时，却一下子呆住了：父亲正在用勺子给自己那棵小树洒着什么。原来，父亲一直在偷偷地为自己栽种的树苗施肥！怪不得……小男孩的眼泪立刻落了下来。

多年后，这位残疾小男孩很遗憾地没能成为一位植物学家，可是他却成了美国第32任总统——富兰克林·罗斯福。

大道理 爱是奇迹的创造者，也是生命最好的养料。有了这种养料的浇灌，哪怕一棵瘦小枯干的树苗，都能成长得枝繁叶茂，甚至长成参天大树。

45. 你说什么？我听不到哦

经过4年的热恋之后，露丝·贝德小姐终于打算跟男友结婚了。

婚礼当天早上，露丝正在楼上做最后的准备时，男友的母亲轻轻地走上楼来了。这位老太太拉过儿媳妇的手，把一样东西放了进去，然后以从未有过的认真语调对露丝说道："孩子，我现在要给你一个你今后一定用得着的忠告，那就是你必须记住：每一段美好的婚姻里，都有些话是应该充耳不闻的。"

露丝摊开手，发现掌心中静静卧着的，是一对软胶质耳塞。老太太的那句话和这份礼物令正沉浸于美好幻想的露丝十分困惑，她不明白在这个时候，妈妈塞一对耳塞到她手里是什么意思。但是没过多久，当与丈夫发生第一次争执时，她一下子明白了老人的苦心。

"其实妈妈的用意很简单，她是用她一生的经历与经验告诉我：人在生气或冲动的时候，难免会说出一些未经考虑的话来。而此时，最佳的应对之道就是充耳不闻，权当没有听到，而不要同样愤然地回嘴反击。否则，不但不利于问题的解决，还有可能给自己的婚姻带来威胁。"露丝感悟道。

从此之后，露丝便把"适当充耳不闻"运用到了婚姻中。的确，自从有了这个秘诀，她与丈夫的生活一直很和谐美满，再也没有吵过架。后来，她又把这句话用到了工作上，结果工作也比以前顺手了不少。再后来，已经成为美国最高法院大法官的她把这个万能的法宝公诸于世，让所有人都能领略到婚姻生活的又一真谛。

大道理 适时关闭自己的耳朵或眼睛，有选择地听，有选择地说，有选择地看，是把许多毒素阻拦在门外的最佳应对之道。

46. 再画掉一个

这是美国的一所大学，一位特邀教授正在给前来听讲的人们上课，只听他说道："现在，我要和大家一起做个游戏，谁愿意来配合我一下？"

一位女士站起来，走上了讲台。

教授对这位女士说："请你在黑板上写下你难以割舍的 20 个人的名字。"听清要求之后，女士转身写下了 20 个人的名字：她的亲人、朋友以及邻居等等。

“现在，”教授说道，“请你找出一个这里面你认为对你最不重要的人，然后画掉他的名字。”

女士轻而易举地便画掉了一个邻居的名字。

“和刚才一样，再画掉一个你认为对你不重要的人。”教授又说道。

女士于是又面无表情地画掉了一个。

游戏按照这种规则继续了下去。

20 分钟过去了，女士身后的黑板上只剩下了 4 个人：她的父母、丈夫和孩子。而教授的要求还在继续：“请再画掉一个不重要的人。”

话音一落，原本议论纷纷的教室里立刻安静了下来，大家都静静地看着女士，都感觉这已不再是一个游戏了。而女士则迟疑着、犹豫着，久久不肯动笔。

“请再画掉一个。”教授温和却不容置否地说道。

女士慢慢地转身、举起粉笔，目光艰难地在四个人的名字上来回游动着。最后，她颤抖着，同时画去了父母的名字。

“请再画掉一个。”教授立刻又要求道，像是一个冷酷无情的命运裁判者。

“还要画掉一个?”女士情不自禁地脱口而出，脸色异常难看。

“对。”教授简洁地否定了她的怀疑。

女士转身、举手，把目光集中在了孩子的名字上，但是未等落笔，她便“哇”地一声哭了出来，看样子她非常痛苦。

教授非常平静地看着女士，不催促，脸上的表情却十分坚决。

泪眼朦胧中，女士缓慢地划掉了儿子的名字。

“现在，请你告诉我，”教授以非常温和的语调说道，“和你最亲的人应该是你的父母和你的孩子，因为父母是养育你的人，孩子是你所养育的。而丈夫，失去之后还可以重新寻找，为什么他反倒成了你最难割舍的人呢?”

“因为，”女士紧紧地咬了咬嘴唇，平定了一下情绪，“随着时间的推移，父母会先我而去，孩子长大成人后也会离我而去，能够真正陪伴我度过一生的，只有我的丈夫。即便失去之后我能够重新寻找，可对方依然逃脱不了这个意义。”

大道理 夫妻不仅是共同劳动者和新生命的缔造者，更是唯一可以相守到老的伴侣。父母、子女或早或晚都会离我们而去，却基本不影响我们的幸福，但如果失去了爱人，我们的幸福便会成为无源之水、无根之木。

47. 两个相爱的乞丐

喧闹的大街上，一个男乞丐和一个女乞丐相遇了。恍惚间，他们都觉得好像前世就互相认识一样，所以不由得带着爱慕注视着对方。

于是，两个人都不愿再离去，而只是面对面站着，手里端着已经空了一天的碗。也许在他们的心里，那一刻的世界上只剩下了他们两个人，除此之外别无他物。

女乞丐望着男乞丐，似乎是有所乞求。

“你在乞求什么？”男乞丐好奇地问对方。

听到这句问话，女乞丐不由得生起气来：“难道你还没有感觉到吗？我在乞求你的爱呀。”

这下，男乞丐也不由得生起气来了：“是吗？我怎么没有感觉到呢？不过我也是只有一只空碗呀，我也在乞求你把你对我的爱全部倾入我的空碗里呢。”

女乞丐更加生气了：“这么说你是爱我的了，那你为何不给予我你的爱呢？”

男乞丐随即反驳道：“既然你也爱我，就应该把相同的爱给予我呀。”

就这样，两个乞丐相互乞求着，却谁都不肯主动先把自己的爱给予对方。

僵持了很久以后，他们还是谁都没有得到对方的爱。无奈之下，两个人只好都转头去向另外的人乞讨了。

大道理 索要爱情的人未必就是得到爱情的人，但从广义上说，得到爱情的人却是给予爱情的人。因为爱即是给予，而非索取和占有，给予之后，“得到”会随即而来。

48. 自行车的幸福能够走多远

我一直认为自己是幸福的。女儿健康聪明又漂亮，老公温厚睿智又爱我，连工作也轻松自由而且薪水不低。我很知足，也很满足，一直都是。

我有一个很特别的嗜好：骑自行车。尽管单位离家并不近，可是我每天都坚持骑自行车上下班，并不是怕堵车，像这种小城市堵车的几率几乎为零；我也不是为省钱，丈夫自己有公司，也有一辆还算不错的马自达，几块钱的车费我还不在乎；我更不是为了追赶时髦减什么肥，我向来不喜欢时尚的东西，更何况自己的身材一直保持得不错。我只是因为喜欢。

我喜欢阳春三月时弥漫街道的花香，也喜欢秋意已浓时飘落在地的黄叶。每到这种时候，我都会一边慢悠悠地骑着自行车，一边贪婪地用眼睛摄取着大自然的美好馈赠。那一刻，幸福的感觉真的会充溢我的胸间。

几年前，丈夫的公司做大了，家里存折上的数字也一个劲儿地变大拉长。于是他买了一辆马自达，买时对我说要不顺便给你买辆 QQ 吧，上班方便些，也没多少钱。当时我坚决地拒绝了，我还是喜欢骑自行车，要知道有些美景，尤其是那种幸福的感觉可是开车带不来的。

就这样，丈夫每天开车去公司，我则每天骑自行车上下班，除非大雨滂沱或者漫天飞雪。他骄傲着他的骄傲，我幸福着我的幸福，我们各取所爱。这也是一种幸福吧，我想。

那天是个大晴天，下班时太阳已经变成了夕阳。和以前一样，一路上我都在慢悠悠地前进着，陶醉在沁人心脾的槐花香里，享受着那种浅浅的幸福。

走到一个倒“Y”字型路口处，我习惯性地放慢了车速，那条支路上开过来的车辆比较多，这是经验。果然，刚转过挡住视线的绿化带，一辆汽车便冲了过来，我急忙捏闸让它先过。无意之中，我瞅了一眼车里的人，咦，那个身影好熟悉，我心想。这发怔的一瞬害了我，我与车尾撞个正着，弹出 2 米有余摔在了地上。

一声刺耳的刹车声之后，司机大喊着我的名字跑了过来，他喊的，居然真的是我的名字！

我在他的怀里欠起身，使劲儿睁开沉重至极的眼睛，看着那个年轻娇美的女孩从丈夫的车里钻出来，打辆的士匆匆而逃，然后我凄凄微笑着，再次闭上了眼睛。那一刻，我终于知道：我原来是不幸福的。

大道理 两个人生活在一起，就犹如两条河流相伴而行，如果前进的速度相差太多，一方就会最终被另一方落下，使得其他河流乘虚而入。

第十四章

发展与教育

1. 紧闭的家门

战国时期，楚国有位大将军叫子发，在与当时的虎狼秦国交战中，子发立下了赫赫战功，很得君主赏识。

在一次交战中，运送粮草的使者顺路去看望了子发的老母亲。老人问使者："兵士们都还好吧？"使者答："前线快没有粮食了，只剩下一些豆子让士兵们分着吃。""那你们的将军呢？""您放心吧，将军每餐都能吃饱，而且还时常有肉。"听了这话，老人默不作声了。

得胜归来后，子发发现自己的家门竟然紧闭着，他拍着门环叫母亲开门，只听母亲在里面说："越王勾践伐吴时，把得之不易的一坛酒倒进江水里，与万名士兵同饮，虽然大家都没有尝到酒味，却因此士气大增，提高了战斗力。而你呢？在粮草不济的时候，你让士兵饿着肚子，自己反倒大鱼大肉，这场胜仗有你大将军的几分功劳？有你这样的儿子让我感觉耻辱！你走吧，从今以后再不要进这个家门。"

听了母亲的批评，子发满脸通红，他跪在门外，发誓以后绝不再如此行事，一番真心悔过之后，他才得以进入家门。

大道理 父母是子女的第一任老师，作为长辈，只有坚持原则、明辨是非才能教导出优秀的晚辈。而要想让子女成为真正的人才，就必须培养他的博爱之心，因为心中只有自己的人到什么时候都只会计较小事小利，难成大器。

2. 纸牌与人生

艾森豪威尔是一位极为著名也极受美国人民尊崇的总统，之所以能成长为如此优秀的人物，与他母亲对他的教育不无关系。

一天下午，年轻的艾森豪威尔跟他的家人坐在一起玩纸牌游戏。没想到连续几次下来，艾森豪威尔皆抓了很坏的牌，所以一次接一次地输。当再次抓到那些讨厌的牌时，艾森豪威尔显然有些气急败坏。母亲看出了他的不高兴，便问他怎么了，他回答说自己的手气太差了，想重抓一次。

“不行，”母亲很果断地说道，“不管怎么样，你都必须把你手里的牌玩下去，而且要争取打赢。试试看，我想你可以的。”在母亲的鼓励下，这次艾森豪威尔果然打得不错。

游戏结束后，母亲语重心长地对艾森豪威尔说道：“玩牌跟人生其实是一样的道理，只不过人生的牌是由上帝来发的。不管怎么样，上帝发的牌你都必须拿着，而且还要尽力争取最好的结果。”

听到这句话，艾森豪威尔顿悟了，此后，他一直牢记着母亲的教诲，无论遇到什么情况，都不会去抱怨，而总是以积极乐观的态度去迎接命运的安排与挑战，尽量处理好每件小事。终于，他成功地竞选上了美国的第34任总统。

大道理 人生是一张单程的车票，起始的基点我们永远无法选择，但在此基点上，是建筑平房草屋还是高楼大厦，却把握在我们自己的手里。

3. 招宝儿的尿

招宝儿是当地无人不知、无人不晓的大财主钱大元的儿子。这老财主斤斤计较一生，积蓄起万贯家财，正愁无人继承之际，招宝儿“应运而生”，老来得子的钱大元对他自然甚为溺爱。

这天，招宝儿爬上路旁的一棵大树玩，正巧树下走过一位秀才，招宝儿淘气地从上往下撒尿，浇了秀才一头。恼怒的秀才跟财主辩了半天，财主连道歉也不肯：“你都这么大人了，跟一个孩子计较什么！还读书人呢！”

秀才刚走，又来了一位丝绸商，招宝儿又把一泡尿撒到了商人头上。商人抬头一看是招宝儿，立刻转怒为喜道：“哟，我说是谁这么机灵呢，原来是小少爷您啊。嗯，我这批丝绸肯定能卖个好价钱，你看，这还没到家就天降金水了。我从城里带回来的这个小玩意儿就送给您啦，以后我这生意还得靠您罩着呢。”

招宝儿得了玩具，高兴极了，心想原来从树上往树下的人头上撒尿有这么多好处。于是等到这位满脸横肉的大盗贼从树下经过时，他也一泡尿撒了下去。横行霸道的盗贼哪受过这种气，抽出刀来就把招宝儿给劈成了两半。

大道理 孩子的性格是因受鼓励而形成的。如果做了错事、坏事反倒受到鼓励，他就会在这条路上越走越远，直至受到不能承受的惩罚为止。因此，身为父母者应当明辨是非，时时警醒。

4. 丁丁的苹果

丁丁是个 5 岁的小男孩，因为家里三代单传只有他这么一根独苗，所以他从小到大受尽了宠爱。可以说，他就是全家的皇帝，如果他说往东，家里人谁都不敢往西，包括辈份最大且已年近七旬的爷爷奶奶。

为了让儿子明白“尊老爱幼”的道理，爸爸给丁丁讲了无数遍“孔融让梨”的故事。最后，从没有吃过一点亏的丁丁终于不情愿地把自己的大苹果送到了爷爷嘴边。从未受过这种待遇的爷爷“受宠若惊”，立刻满心欢喜地赏了孙子一大把糖。

丁丁一看，哎呀，只要把大苹果送到大人嘴边，就可以得到更多好吃的东西啊。这下，他几乎没有犹豫便养成了“尊老爱幼”的好习惯。每逢有什么好吃的东西，他总是迫不及待地抓到自己手里，然后挨个“孝敬”。当然，被孝敬的人也会跟那天的爷爷一样，不但夸奖丁丁几句，还会另外给他一些奖赏。

一天，爸爸的上司因为有急事来到了丁丁的家里做客。丁丁一看，立刻很懂事地给客人拿来了一个大苹果。当时家里人都乐坏了，心想事虽不大，全家人可是在领导面前挣足了面子。果然，那位上司一边接苹果，一边摸着丁丁的头夸奖起来：“真是个乖孩子。”然后，本来不爱吃苹果的他装成爱吃的样子，大口咬了苹果一下。不料这一口居然咬出了麻烦，丁丁先是一愣，继而躺在地上大哭大闹起来，一边哭一边还把自己知道的所有骂人的词全搬了出来。

面对这突如其来的变故，全家人顿时不知所措，那位面子大受打击的上司尴尬无比地坐了几分钟，最后只得怏怏而去。

看来，即便鼓励式教育收效甚好，也要看怎么个鼓励法，如果运用不当，孩子不但不会日渐成器，还有可能形成畸形心理。

大道理 没有不合格的孩子，只有不懂教育的父母。每个孩子都是一块浑然天成、纯净无瑕的美玉，为人父母者只有泾渭分明、赏罚有度地去雕琢，他才可能成长得美好且有用。

5. 武师与儿子

清末年间，某镖局首席老武师因为年龄已大，决定退出江湖。一看自己家的顶梁柱要塌，镖局掌柜顿时陷入了为难之中——天下虽大，可到哪里去寻找一位既武艺高强又忠心耿耿的镖师呢？不想正当他为此头疼时，老武师推荐了自己的儿子，想想虎父无犬子，掌柜欣喜不已，立刻应允了下来。

可是谁都没想到，老武师的儿子上任没几天，便在一趟押镖中被小山贼打死了。听到这个消息，人们非常奇怪，因为那几个小山贼根本不是什么高手，老武师名震四方，他的儿子仅学点皮毛也足够对付那几个小山贼了。

老武师跟人们一样迷惑不解，他一边伤心一边说："我真不明白，我的武功这么好，我的儿子怎么会这么差劲！要知道自从他懂事我就开始教他了，怎么出手、怎么自我防卫、怎么破解对方漏洞……我把我多年积累的经验都毫无保留地传授给他了，他怎么会连那几个小蟊贼都打不过呢？"

听到这里，一位老人问他："那你们谁的武功更高一些呢？"

"那我怎么知道，我们又没比试过。"老武师说。

"那他是怎么练的？"老人问。

"我一直很详细地给他解说，纠正他的错误姿势，监督他练习啊。"武师回答。

"那就是你的错了，因为你只传授了技术，没有传授教训。要知道，对于武师来说，没有后者，一切都是纸上谈兵。”老人说。

大道理 先学会怎么输，才可能漂亮地赢。身为家长，如果从来不让孩子摔跟头，那么一旦他走出你的保护圈，摔倒了将再难爬起来。

6. 小偷与小提琴家

埃德蒙先生刚到客厅，就听见楼上有轻微的响声。“有小偷!”他立刻反应到。

他迅速跑上楼去，果然，房间里有一位十二三岁模样的陌生少年正在摆弄他的小提琴。他头发蓬乱，衣衫寒酸，不合身的外套里面鼓鼓囊囊地装了些东西，毫无疑问，他就是那个小偷。

看到有人到来，那个满脸稚气的孩子眼中顿时充满了惊恐。埃德蒙先生静静地看了他一会儿，突然微笑着问他道：“您是主人的外甥吧，欢迎你。我是他的管家，我已经听说了您要来，但没想到这么快。”

少年眼中的恐惧慢慢消失了，他放下小提琴：“我舅舅出门了吧，我先出去转转，一会儿再回来。”埃德蒙先生点点头：“你也喜欢小提琴吗?”

“是的，非常喜欢，但是我拉得不好。”少年回答。

“那就拿这把琴去练习一下吧。”埃德蒙先生把小提琴递给了少年。

…………

几年之后，埃德蒙先生应邀担任一次音乐大赛的决赛评委。最后，一位年龄不大的小男孩获得了小提琴的第一名，当埃德蒙先生见到这位叫做里特的男孩时，他的眼睛顿时湿润了，原来，他就是几年前出现在自己家里的那个小偷!

大道理 对待已经知错的孩子，适度的宽容并不等于放纵，而且，相比硬性的批评责骂，它不但更有利于维护其尊严，还更有益于他的迷途知返。

7. 最后一课

孩子们快毕业了，校长来给他们上最后一堂课。

校长走进教室，用粉笔在黑板上画了一道直线，然后问孩子们道："在保持这根线不动的基础上，有哪位同学能够让它变短一些？"

问题一出，下面的同学立刻炸开了："啊？这问题本身就是矛盾的嘛，不动又变短，怎么可能？""校长怎么会犯这种错误？""我好像听说过这个问题，但忘了答案。"……

同学们七嘴八舌的，谁都想不出个所以然来，甚至一致认为是校长出错题了。

"除非让神仙来，才能既不动它又让它变短。"一个小男孩调皮地喊道。

"但是，这个神仙就是你们自己，因为你们都能做到。"校长大声说道。

"我们都能做到？"孩子们迷惑地面面相觑。

"是的，的确是你们谁都能做到，就像这样，"校长说着，转过身去在那道直线的下面划了一条更长的直线，然后回过头来问学生道，"现在你们看，上面这根线是不是变短了呢？"

"真是哎！"孩子们惊讶地高呼起来。

这时，校长意味深长地说道："同学们，上面这根线是别人，下面这根线是你们自己。看到了吗？只有想法变长自己这根线，才可能让别人的线变短。"

大道理 让别人的线变短的最好方法就是想法变长自己的线，所以，如果你想超过别人，就必须不断地提升自己。

8. 一枚硬币

圣诞节快到了，班里的孩子们都兴奋地猜测着今年父母会送给自己什么礼物。的确，他们完全有理由猜测，他们的家庭条件太好了，父母不可能不送他们礼物。而自己，小莱斯低头瞅瞅自己寒酸的衣服，摇了摇头。

圣诞节终于到了，那些富家子弟的父母们果然没让他们失望，你看看他们得到的礼物是多么令人羡慕啊：梦寐以求的新衣服、最新款式的照相机等，甚至还有一个孩子得到了一辆崭新的跑车。看到这里，小莱斯低下了头，他的手里只有一枚硬币。父亲给他时，说了一句话："用它去买份广告报纸，翻翻其中的兼职栏，找份你能干得了的工作吧。你已经 9 岁了，该自己养活自己了。"

"我虽然按照父亲的意思做了，但一直认为他是在跟我开玩笑。一直到16 岁参军，我才明白那是一份什么样的礼物。因为那一枚硬币，我找到了一份帮垃圾站分类垃圾的活儿，并且一直干了 6 年。这 6 年不但让我从孩子长成了大人，还让我懂得了生活的真正意义，拥有了养活自己的能力。我知道了，其他孩子得到的只是一件礼物，而我的父亲却给予了我整个世界。"已经是上校的莱斯泪光莹莹地说。

大道理 与其给孩子充分的笼中食物，不如给他一把开启世界的钥匙，因为前者会有吃光的一天，后者却能取之不尽，让他终身受益。

9. 动物学校

动物王国首所公立学校开学了，动物妈妈们纷纷把自己的孩子送去学校里接受教育。为了让学生们得到全面发展，校长把课程定得很广泛：爬树、游泳、跑步、飞翔……而且规定每位学生都必须全修，期末考试时，只有每门功课都及格，学校才会准许它毕业。

但是出乎大家意料的是，期末考试过后，全校所有的学生无一能拿到毕业证。这是怎么回事呢？说起原因，动物们真是各有苦衷：

小猴子爬树得了满分，跑步成绩却一般，最糟糕的是游泳和飞翔，全是零分！“我没有翅膀，怎么可能飞得起来嘛！”小猴子满脸委屈。

小鱼更苦恼了，因为它除了游泳得了满分外，其他3项无一及格，而且全是零分。“我没爪子、没脚，也没翅膀，剩下那3项我当然没办法及格了！”它说。

接下来诉苦的是小鸟：“我飞翔成绩特别好，跑步成绩也不错，可是爬树的时候，老师老说我犯规，所以没给我及格。至于游泳嘛，我可真不好意思说，我得了零分。”

最后说话的是小老虎：“我更惨，前3项几乎都拿了满分，就因为最后一项才没拿到毕业证！”

这个故事对我们教育孩子是不是有所启示呢？

大道理 从某种角度说，学校只是一条标准化的生产线，要想让孩子既全面发展又在某方面出类拔萃，就必须适当照顾他的特点和天赋。

10. 绅士风度

美国总统杰弗逊一向以谦卑俭朴著称，无论吃穿住用行，他都尽量保持平民化。在对待比自己地位低的普通人包括奴隶时，他也从来都是以礼相待，坚持着平等的原则。而且他不但这样要求自己，还这样教育子孙。

一天，杰弗逊和他的孙子驾车出去办事，同行的还有孙子的几个朋友。一路上，几个人谈天说地，热闹非凡。路经某地时，恰逢一个奴隶打扮的人与他们的马车相向而行。奴隶一看前面马车上坐的是总统先生一行，赶紧脱下帽子，退到路边向他们行鞠躬礼。

杰弗逊见状急忙中断自己正在谈论的话题，举起帽子微笑着向奴隶还礼。可是当他回过头来时，却看见孙子还在跟朋友们谈笑风生，丝毫不看窗外正向他们鞠躬的奴隶。

“你这是在干什么，托马斯！难道你没看到窗外的那个人正在向我们脱帽行礼吗?”杰弗逊生气地冲孙子喊道。

“他是奴隶，而我们是贵族，况且您又身为总统，难道他不该向我们敬礼吗?”孙子满脸无辜。

“那么托马斯，请你回答我，你难道允许一个奴隶比你更有绅士风度吗?”杰弗逊总统满脸严肃地反问道。

大道理 当一个人向你表示敬意时，你一定要回报以同样的敬意——如果你不比对方高贵，你应当如此；如果你比对方高贵，为了让他不反过来比你高贵，你更应当如此。

11. 为自己的过错承担责任

1920年，这个小男孩才11岁。某天，他跟小伙伴们在草地上踢足球，不小心把球踢进了一户人家的窗户里。为此，他必须支付主人12.5美元的赔偿。

12.5美元在当时可不是一个小数目，闯了大祸的小男孩因为实在无力偿付这笔“巨款”，不得不向父亲承认了错误，然后问父亲借钱。

只见父亲对他说：“这是你自己犯下的错误，应该由你自己来承担后果，难道不是吗?”

“可是，我哪有那么多钱赔给人家呢?”小男孩为难地说。

爸爸把12.5美元如数交到小男孩手里：“先把这些拿去吧，但是你记住，这不是我给你的，而是我借给你的，期限为一年。也就是说，你必须在一年之内把这些钱还给我——因为你要为自己的过错承担责任。”

从此，小男孩便开始了一边读书一边给邻居拔草挣钱的打工生活。经过半年的努力，小男孩终于攒够了那个天文数字。当他自豪地把钱交给爸爸时，“为自己的过错承担责任”这一教训也深深地刻在了他的心里。

毕生，他都在谨慎地遵守着父亲的这一教训，他的名字叫罗纳德·里根，美国的第40任总统。

大道理 为自己的过错承担责任，这不但是促成孩子成长的条件，还是培养他品行出众的前提。看来，在教育孩子时，除了用心，还应运用一定的技巧。

12. 捡拾鹅卵石

看看太阳快落山了，牧民们开始扎营，准备休息。忽然，万能的天神降临了：“明天放牧时，你们会经过一条小河。到时候，你们要尽可能多地捡些鹅卵石放在鞍袋里。”说完，天神便消失了。

第二天，牧民们果然遇到一条小河，按照神的旨意，他们都开始沿着河边捡鹅卵石。但是很快，他们的手指便磨破了，身后的马匹也因为鞍袋里全是石子而累得不行了。这时，牧民们一个接一个地愤怒起来：“原以为天神要提示什么宇宙真理或上天机密，原来只不过是叫我们捡些又沉又没用的破烂石子！”由于愤怒，牧民们纷纷把手里的石子抛向河里，甚至把鞍袋里的石子也扔掉了一多半，再然后，他们便跨上马离去了，决定再不做这繁琐又没意义的事情！

第二天早晨大家还没有醒来时，一个早起的牧民便大叫起来，原来剩在他鞍袋里的那些鹅卵石都变成了金块！牧民们听了急忙翻起自己的鞍袋来，他们袋子里的鹅卵石也全都变成了金块。顿时，他们明白了天神的意思，但是同时，大家又都懊悔不已：怎么就没多捡点，还把已经捡到的大半石子也扔掉呢！

大道理 积累知识、技能的过程如同捡石子，总会让人感觉既繁琐又没用，但是多储备一些知识与技能总是没有坏处的，因为终有一天，它会使你身价百倍。

13. 两位画家

两个孩子都从小就表现出了画画的天赋，两位妈妈也一直对自己的孩子期望很高，决心把他们培养成画坛的人才。可是，这两家都太穷了，他们的孩子都是连自己独立的画画空间也没有。

第 1 位妈妈想了想，便请装修工在自己的大房间中间砌了一道墙，给孩子隔出了一个小空间，然后告诉孩子，你画了画，就往这面墙上贴。

第 2 位妈妈没有请装修工，而是给孩子买了个纸篓，然后告诉孩子，你画了画，就往这个纸篓里扔。

3 年后，第一个孩子已经靠那满墙的画办起了画展。由于他的画线条流畅，色彩明丽，观者皆赞不绝口。

而第二个孩子把画全扔进了纸篓，满了就倒掉，所以没有一张存画，只好给别人看他那幅刚勾勒完线条的画，人们均摇着头走开了。

30 年以后，人们对第一个孩子那动不动就满墙的画已经失去了兴趣，而对整天闷在家里创作的第二个孩子的画则产生了好奇。可是当他们看到他的画时，这种好奇全都转变成了震惊：太棒了！人们纷纷赞叹道。

于是，人们把第一个孩子的画从墙上揭下来，扔进了纸篓，又把第二个孩子的画从纸篓里捡起来，贴在了墙上。

大道理 “博观而约取，厚积而薄发”，这是每个人的为学之道，也是父母教育孩子的基本原则之一。倘若急于表现，则多会滋生浮躁与浅薄，即便有一定的特色与深刻，也会在世俗的赞叹中渐趋流俗。

14. 两棵树的故事

果农同时种下了两棵树，这两棵树差不多大小，也都很努力地成长，只不过，它们努力的方向不一样。一棵树努力地汲取着地下的水分和营养，争取尽快地把自己长成健壮茂盛的样子，而另一棵树则是努力地抽枝、长叶、开花，争取早日硕果累累，让果农对自己刮目相看。

秋天来临时，这两棵树的努力都有了结果。第一棵树枝繁叶茂，树干笔挺；第二棵树则果实满枝头，累得气喘吁吁。果农非常惊讶第二棵树的能量，所以对它异常爱护。正当第二棵树为此沾沾自喜时，一群孩子来到了它的面前。看见树上有这么多的红果子，淘气的孩子们二话不说就捡起石头打起了果子，一时间，这棵树尚嫩的树皮被折磨得伤痕累累。但是即使如此，孩子们也没说它一句好话，因为由于营养不足，它结出的果子一点也不甜，甚至有些酸涩。

第二年春天来临时，已经身强力壮的第一棵树开始孕育果实，果实渐渐长大，鲜红而诱人。而那棵从去年就急于开花结果的树却再也打不起精神，而且由于树皮严重受损，它日渐萎缩，最后竟成了一根枯木。没办法，果农只好把它砍掉当柴烧了。

大道理 积蓄不足就急于表现者，即便能散发出耀眼的光芒，也不过是昙花一现；博观而约取，厚积而薄发者才能赢得最大程度的、持久的成功。

15. 狮子与樵夫的女儿

某天，狮子到山中捕食，看见一位樵夫领着他的女儿在打柴。那女孩长得眉清目秀、唇红齿白，身材也窈窕有致，狮子一眼就爱上了。于是它径直走向前去：

“嗨，亲爱的樵夫，我爱上你的女儿了，你把她嫁给我吧。”

樵夫和女儿抬头一看是头凶猛威武的狮子，吓着全身发抖，连话也说不出来了。

狮子一看樵夫许久也不吭声，便忍不住怒吼道：“这整座山都是我的，你整天在这里打柴，难道不该给我点回报吗？快点答应我，不然我就把你吃掉！”说完，狮子就呲了呲它那白森森的牙齿，扬了扬它那锋利的爪子。

这时，只听樵夫女儿说道：“我答应你，3天后，你拿着聘礼到我们家吧。”

3天后，欣喜若狂的狮子果然拖着好几只大羚羊上门了。

樵夫女儿对它说：“我嫁给你是没问题，可是你的爪子太锋利了，我怕你一不小心会抓伤我。”

狮子一听，立刻找兽医把自己的爪子全拔了。

樵夫女儿又对它说：“你的牙齿也太长了，我怕你吻我的时候会咬伤我。”

于是，狮子又让医生把自己的牙齿也全拔了。

这时候，由于狮子已经没有了任何武装，樵夫立刻叫人把它的脑袋打开了花。

大道理 再厉害的武器，再巨大的力气，也比不上一个会思考的脑袋。因为在智慧面前，蛮力永远微不足道，甚至会令人发笑。

16. 博士的尴尬

年仅26岁的张博士分到了省电子科研所，成为全所年龄最小、学历却最高的一个人。

周末闲来无事，张博士便到研究所附近的小池塘去钓鱼，恰逢正、副所长也在钓鱼。他微微点头算是打过招呼，然后就再一言不发了——跟两个80年代的小本科生有什么好聊的！

约摸过了半小时，内急的所长放下了钓竿，他伸伸懒腰，然后就快步如飞地从水面上走向对面的厕所。

看到这种情景，张博士的眼镜差点掉了下来：天哪，不会吧？水上飘?!

正想着，副所长也站了起来，抬着下颌叫所长道：等一下我。随后他也“蹭蹭蹭”地飘上了水面。

这一下，张博士更傻了：我不会是在做梦吧？他揉揉眼睛又掐掐大腿，结果证明这一切都是真的。

一直到正、副所长上完厕所，又从水面上飘回来时，张博士还在惊诧中，可他又不好意思去问，自己可是博士啊！

再过一会儿，张博士也内急了，看看从池塘两边绕到厕所至少需要15分钟，他决定也从水面上过去——既然本科生能飘，我博士生自然更没问题了。这样想着，张博士的一只脚已经迈进了池塘，但还没来得及惊呼一声，他已经“扑通”一声跌进了池塘里。

两位所长一看，赶紧把他拉了上来，一边拍着他身上的水，一边半带责怪地问：“你这是干嘛？”

张博士满脸通红：“我想上厕所，看你们从水面飘来飘去的，我以为……”

不等他说完，两位所长就都哈哈大笑起来：“这池塘中间原本有两排木桩，是专门为钓鱼的人上厕所方便而设的，只不过今年雨水多，木桩被淹了而已。我们在这工作20年了，都知道这木桩的具体位置，所以不用看都可以摸准。怎么？你以为我们是飘过去的？哈哈，你怎么也不问一声呢！”

不等两位所长说完，张博士就已经尴尬万分了。

大道理 学历能代表过去，学习力却能代表未来。一味囿于经验，固然会有所失，但如果一味否定经验，也免不了会吃大亏，最好的做法是尊重经验。

17. 狐狸和野狼

风和日丽的阳春三月，野狼一边沐浴着春阳，一边勤奋地磨着牙齿。

这时，一只狐狸走过来，对他说道：“哟，野狼大哥，您看天气这么好，大家都在休息娱乐，你干嘛还要这么辛苦地磨牙啊，快跟我一起加入游乐的队伍吧。”

野狼扭着脑袋瞅了狐狸一眼，一声不吭地接着磨牙，直到把牙齿磨得又尖又利。

狐狸见狼不理它，很不以为然地接着说道：“森林里这么安静，猎人和猎狗们都早已经回了家，连老虎的叫声也听不到，你又何必那么用劲地磨牙呢?”

已经磨好牙齿的野狼这时候才开口说道：“我磨牙当然是有原因的。你想想，如果哪天我被猎人或老虎追赶，岂不是想磨牙也来不及了？倘若在安全的时候我提前把牙磨好，到时候不就可以保护自己了吗?”

正说着，狐狸灵敏的耳朵忽然一转：“不好了，狼大哥，好像有……”它一句话还没有说完，几只豹子便向它们扑了过来。

一番拼杀之后，狼满身鲜血淋漓地窜出了森林，而狐狸，早已经成了豹子们的腹中之餐。

大道理 居安思危，未雨绸缪，才不至于在危险突然降临时手忙脚乱，损失惨重。同理，平常就积极充实学问，积蓄足够的知识与能力，才可能在机会到来时大显身手，一展鸿图。

18. 愚蠢的驴子

大热天，驴子驮着几袋沉甸甸的盐往家走，不一会儿，它就又累又渴，快要支撑不住了。恰在这时，它的眼前出现了一条小河，驴子赶紧冲到河边大喝了一顿，这才感觉恢复了活力。然后它就准备过河了。

“哎呀，这河水可真清澈啊。”一踏进河里，驴子便心情舒畅地欣赏起了河底的美景。可是它光顾着看那些形状各异的鹅卵石，一不留神脚下一滑，一下子摔倒了，好在河水不太深，驴子赶紧站了起来。咦？驴子奇怪地回了回头，背上的盐袋好好地放着，怎么这分量突然减轻了许多呢？想来想去，驴子终于明白了：原来在河水里跌一跤，背的东西就能变轻。它不禁为自己的聪明得意地大叫了几声。

没过几天，这只驴子又一次为主人运东西了，这回它驮的是布匹。走到半路，它又渴了，于是很自然地想到了那条小河以及上次在小河里的奇遇。“虽然这些布匹并不算重，可是再轻一些对我总是有好处的。”这样想着，驴子便来到了河边，喝足水以后，它便找了个比较浅的地方趴了下去——反正越浸水背上的东西越轻，不如趁机在这里休息一会儿。

半个小时以后，驴子休息够了，它伸个懒腰打算站起来，可是天哪，它打了一个趔趄，差点又跌下去。“背上的布匹怎么这么重啊？比上次那几袋盐巴还要沉好几倍！”驴子惊呼道。

大道理 任何通过实践得来的经验都是宝贵的，但并非任何时候都是有效的。只有善于根据时间和形势的不同选择不同的策略，才可能收到效果，否则就只会聪明反被聪明误。

19. 龙虾的启示

某天，寄居蟹出外游玩时遇上了龙虾，于是便和它攀谈起来。龙虾一边和寄居蟹聊天，一边使劲蜕着自己最外层的硬壳，渐渐露出了里面娇嫩的身躯。

“天哪，龙虾妹妹，你这是在干什么？”寄居蟹见状惊呼了起来，“这层硬壳可是你唯一的御敌武器啊，你现在把它脱掉，这不是找死吗？看你的身体那么娇嫩，别说大鱼，就是来阵急流，也能把你冲到岩石上挤碎啊！”

“谢谢你的关心，我没事的。”龙虾气定神闲地回答道，“你可能还不了解吧，我们龙虾要想长大，就得一次又一次地脱掉旧壳。新长出来的外壳不但更适合我们长大的身体，还能更坚固一些。现在面对危险，是为了将来发展得更好啊，这叫有备无患。”

听了这番话，寄居蟹感触颇多，它在想：自己整天忙着寻找可以寄居的地方，却从来没想过如何令自己长得更强壮一些。一直活在别人的荫护之下，当然就难以发展得更好了。

大道理 每个人都有自己的安全区，但要想超越自己目前的成就，划地自限是绝对不行的，只有勇于突破旧圈子，不断挑战自我，我们才可能发展得更好。

20. 你有智慧的大脑

上帝造出万物后，便把它们撒落到世间各处，让它们根据自己的特长、按照自己的方式去生存了。

这天，上帝正从天上慈爱地俯视着自己的孩子们，一个人抬头看见了他。

“嗨，上帝，”那人喊道，“我终于见到你了，有一个问题我已经思考好久了。”

“怎么了？我的孩子。”上帝问道。

“您真是太不公平了！”这人几乎是很气愤地说道，“您给牛坚硬的双角，给象巨大的力气，给狮子锋利的牙齿，连小小的兔子您都给予了它们迅疾的奔跑速度……却什么都不给我们人！您让我们怎么活啊，这不明摆着让我们做兽类的牺牲品吗？还说我们是万物之灵，我真是搞不懂！”

听到这些牢骚，上帝笑了：“你们当然是万物之灵，因为你们有智慧的大脑，可以思考。”

“思考？”这人反问道，“这怎么可能，不是说嘛，人类一思考，上帝您就会发笑。”

“不！”上帝纠正道，“我给你们智慧的大脑，就是为了让你们思考；我之所以叫你们万物之灵，就是因为你们可以通过思考成为万物的主人。所以，不要让任何东西压抑住自己的优势，要时时刻刻处在思考中。”

大道理 人类一思考，上帝就发笑，但是谁说那不是他欣慰的微笑呢？请记住：如果人类不思考，上帝才会发笑：“傻瓜，我看你怎么生存！”

21. 妈妈与孩子

这是前苏联一个温馨的小家庭，吃过晚饭，勤快的妈妈便把碗筷收拾进厨房开始清洗了。忽然，她听到儿子在院子里不停地蹦着，还发出“吭哧吭哧”的使劲儿声。

“这个小家伙在搞什么鬼。”妈妈嘀咕着，跑到门前一看，原来儿子正在用力地朝上跳着，都累得满头大汗了还在一下接一下地跳。

“你在干嘛？宝贝儿。”妈妈问道。

孩子一边跳一边回过头来回答妈妈道：“你看，今晚的月亮这么好，我想跳到月亮上去玩玩。”如果是中国妈妈，肯定不外乎以下两种情况：要么一笑了之不当回事，要么泼盆冷水，训斥孩子“异想天开”或者骂他“小孩子不要胡说八道”，然后就把他拉进屋里去洗干净满脸的汗。但是你猜这位妈妈怎么说的？她竟然微笑着回答孩子：“好的，不要忘记回来噢。”然后就又转身走进厨房了。

你知道这个小孩是谁吗？他就是后来成为世界上第一位登陆月球的人——阿姆斯特朗。

我们固然不能说他日后的巨大成功和小时候他妈妈的这句话有什么必然联系，但是由此我们可以确定的是：母亲的这种教育方式，一定让小阿姆斯特朗获得了有益的成长。

大道理 拥有热情与梦想，这是一个人创造奇迹的前提，所以，请不要满不在乎地对孩子的天真幻想泼以冷水，也许你今天的支持正是他以后成功的基础。

22. 用赞美来“教训”你

在非洲的巴贝姆巴族中，至今依然保持着一种古老而奇特的生活仪式：

当族中的某个人有意无意地犯了错误时，族长会让他站到村落的中央，公开亮相，以示惩戒。然后再召集整个部落的人，让他们放下手中的工作，从四面八方赶来团团围住这个犯错的人，用赞美来“教训”他。围上来的人们，会自动分出长幼，然后从最年长的人开始发言，依次告诉这个犯错的人，他曾经为整个部落做过哪些好事、帮助过哪些人、身上有什么值得表扬的优点、有哪些值得大家重视和学习的长处等等。

每位族人都必须将犯错人的优点和善行用真诚的语调叙述一遍。叙述的原则是既不能够夸大事实，也不允许出言不逊，而且不能重复别人已经说过的赞美的话。整个赞美的仪式，要一直持续到所有族人都将正面的评语说完为止。

可是，谁都能够想象，当自己犯了错，反而被一大群人围住夸遍优点时那会是一种什么滋味。巴贝姆巴族的族人们也一样，那些犯错的人总是不等仪式结束便羞愧难当，不知如何是好了。往往他们只能揖首发誓：以后绝对不会再犯这样的错误。后来的事实证明，他们再犯同类错误的几率的确低到了令人难以置信的地步，虽然有“习惯”等等一说。

大道理 相对于批评来说，赞美更具让人自我反省、改正过错的威力。而且，它不但是一种缓和人际关系的好办法，还是一种提升对方和自我境界的有效方式。

23. 帝王蛾“出世”

在蛾子的世界里，有一种名为“帝王蛾”的种类。帝王蛾的幼虫时期是在一个洞口极其狭小的茧中度过的。当它渐渐长大，身体需要发生质的飞跃时，这个狭小的洞口便是它唯一的通道。但是，相对于那时它已经发育圆满的身躯来说，这个狭窄之至的小口无疑成了鬼门关。它那娇嫩的身躯必须拼尽全力才可能破茧而出。不知道有多少幼虫都是在向外冲杀的关键时刻力竭身亡，成为“飞翔”这个动词的悲壮祭品。

一天，有个小男孩看到了这一幕，他很奇怪这只蛾子为什么用力这么久了还不肯出来，同时，天性中的悲悯又让他感觉到深深的怜惜。他不停地用小手掰着那只硬硬的茧，可是人小力气小，他始终都无法成功帮助帝王蛾“脱胎换骨”。忽然，他想到了一个好办法，立刻跑进屋里拿来了妈妈做针线活用的剪刀，三下两下就把那只茧豁开了。接着，他得意洋洋地看着自己的杰作，等待蛾子不费力气地从那个牢笼里钻出来，然后展开翅膀，飞上天空。

可是，他所希望的一幕始终没有发生，那只因为他的救助而得见天日的帝王蛾怎么也飞不起来，只能拖着丧失了飞翔能力的累赘的双翅在地上笨拙地向前爬行，而且速度还极慢！

这是怎么回事呢？原来，那“鬼门关”似的狭小茧洞竟然是帮助帝王蛾幼虫两翼成长的关键所在，当蛾子身体穿越它的时候，会感觉到无比巨大的挤压力，而正是这种炼狱般的挤压，使得蛾子的体液顺利送到双翼的组织中去——唯有两翼充血，帝王蛾才可能振翅飞翔。如果出于怜悯，人为地将它的茧洞剪大，帝王蛾的翼翅就失去充血的机会，生出来的帝王蛾就会永远与飞翔绝缘。

看来，纵然他人有同情心并且有能力帮助帝王蛾脱离困境，但那双奋飞的翅膀却没有谁可以施舍给它。

大道理 “宝剑锋从磨砺出，梅花香自苦寒来”，任何本领的获得都需要经由艰苦的磨炼，想通过投机取巧早日达到目的，这不过是见识短浅的误己行为。

24. 马蝇效应

1860年，林肯竞选美国总统时，萨蒙·蔡斯曾经是其最大的竞争对手。这位精明能干的富翁极为狂妄自大，他非常瞧不起贫民出身的林肯，认为白宫之主非他莫属。一直到竞选结束，林肯成功坐上总统宝座之后，萨蒙还是不死心，并一如既往地追求着总统职位。

但是他万万没想到的是，被自已视为仇敌的林肯总统竟然亲自下令，任命他为财政部长。这一任命来得莫名其妙，不但萨蒙自己，当时白宫中的许多人都大为不解。他们苦口婆心地劝导着林肯，说萨蒙对他一向心怀不满，现在让他出任财政部长，不啻为在自己的椅子上钉钉子。

但林肯总统却淡淡一笑，给大家讲了这么一个故事：

我在农村长大，从小就知道一种叫做马蝇的昆虫，这种昆虫以专门叮马喝马血而得名。有一次，我和我兄弟在肯塔基老家的一个农场上犁玉米，他架犁，我牵马。那匹懒惰的老马一步一歇，把我们折磨得筋疲力尽。正当我们不知如何是好时，那匹马竟然飞快地跑了起来，速度之快甚至连我这双长腿都跟不上。到了地头，我才知道是怎么回事，原来一只很大的马蝇正在叮它的腿。我不忍心看着老马被咬，于是就伸手把它打落了。没想到我兄弟却大声惋惜道：哎呀，你怎么把它打走了，正是这家伙才让我们的马跑得这么快啊。

然后，林肯解释道：“现在，正有一只叫做‘总统欲’的马蝇叮着蔡斯先生，只要它能使蔡斯不停地跑，我就不想去打落它。况且，对于我来说，蔡斯先生也是一只马蝇，他离我越近，就越能督促我快跑。如此说来，我还有什么必要去打落它呢？”

大道理 最能促进我们进步与成功的外部因素，并非亲朋好友，而是对手与敌人。认识到这一点并主动为自己“培养”敌对者，既是一种智慧，也是一种勇气。

25. 聪明的小男孩

这个小男孩不但长得虎头虎脑，而且非常聪明，简直就是人见人爱。

一天，男孩的妈妈带着他去商店买东西，老板一看这个小家伙这么可爱，立刻欢喜地打开一罐糖果，让小男孩拿糖吃。但是这个小男孩却没有任何动作，他只是死死地把两只小手揣在口袋里，然后一动不动地盯着老板的眼睛。

“拿吧。”老板面带笑容地再次邀请道，可是小男孩依然无动于衷。没办法，老板只好亲自抓了一大把糖果塞进小男孩的口袋里。

回来的路上，妈妈很奇怪地问儿子：“宝贝儿，刚才店老板让你拿糖，为什么你不拿呢?”

“我在等他给我拿啊?”男孩回答道。

“为什么要等他给你拿呢?”妈妈反问道。

“因为我的手小，一次只能拿两三颗，吃完就不好再向他要了。而他的手大，哪怕只抓一次都能拿很多很多呀。”男孩答道。

大道理 知道自己“有限”是一种聪明，明白别人比自己强更是一种聪明。凡事不能只靠自己的力量，而应适时依靠别人的帮助，这不但是一种谦卑的礼貌行为，更是一种巧妙的生存艺术。

26. 1厘米的智慧

多次打破世界记录的撑杆跳名将布勃卡有个外号叫“1厘米王”，因为每逢重大的比赛，他几乎每次都能刷新自己所保持的纪录，而且不多不少刚好将之提高1厘米。

这是怎么回事呢？难道只是一时凑巧吗？在巴塞罗那奥运会召开的前几天，有人透露了其中的内幕。

原来，布勃卡是故意这样做的。其实按照他的实力，哪怕在日常训练中，他都能够轻而易举地越过6.25米的高度。他之所以在正式比赛中从来不拿出真本事，而是一厘米一厘米地提高自己的成绩，是因为他与赞助商、运动会的组织者事先有一个这样的约定：每破一次纪录都可以得到75万美元的奖金。所以他认为，大幅度提高自己的成绩或一下子拿出看家本事是非常不明智的，而慢慢提升成绩的话，不但能够多拿几次那笔丰厚诱人的奖金，还能保持自己在他人心中奋斗不息、永远向上的光辉形象。

看来，布勃卡之所以能够在跳高界称雄多年，除了他的实力，他的聪明也是非常重要的因素之一。

大道理 有时候，持续发展比一下子就达到顶峰对自己更有利。在努力向上的同时，不忘留点余地给明天，以便创造出一种“常用常新”的效应，不失为一种明智之举。

27. 将军和驴子

古罗马皇帝哈德良在位期间，曾经遇到一件这样的事情：他手下的一位将军觉得自己应该得到提拔，便向他提起这件事。

哈德良问他凭什么提出这样的要求，对方的回答是我在军队服役已经十几年了，而且参加过十多次重要的战役，经验非常丰富。

皇帝想想朝中实在没有空缺位置，更重要的是这位将军除了参加过几次战争之外，并没有什么其他特别突出的贡献，给他个“将军”的头衔已经不算亏待他了，于是就没有采纳他的建议。

将军回到自己的府第之后，越想越觉得自己应该被委以重任，于是便决定明天再觐见皇帝去提这件事，而且如果皇帝不同意的话，就一而再、再而三地提，反正自己曾经参加过卫国战争，皇帝也拿自己没办法，倘若真能如愿以偿，反倒是赚了。

果然，哈德良皇帝最后被这位将军千篇一律的理由磨烦了，于是便随手指着拴在宫门旁的战驴说：“亲爱的将军，请你好好看看这些驴吧。它们至少参加过二十次战役了，但是它们依然是驴。”

一句话说得将军瞠目结舌，从此再也不提这件事了。

大道理 经验和资历固然重要，但这并非衡量一个人才华的最终标准，倘若因此便自视劳苦功高、不同凡响，只会被人取笑。要知道有些人即便有 10 年的经验，也不过是把 1 年的经验重复了 10 次而已。

28. 广交新友，走向生活

1960 年时，美国著名记者戴维·科宁斯还是一个刚进入《西部报》几个月的毛头小伙子。可一天早晨，他却接到了总编派给他的不可思议的任务：采访埃莉诺·罗斯福——美国前总统富兰克林·D·罗斯福的夫人。

科宁斯当时吓坏了，感觉脑袋像是灌满了铅似的混沌——让我采访前总统夫人，这简直就是玩笑嘛，人家不但与罗斯福总统共度春秋，还曾经独立做出过功成名就之举，而自己，只不过是个毫无名气的毛头小伙子。

但是担心归担心，作为记者，科宁斯还是得力求不辱使命。于是他迅速跑进了图书馆，把所有关于埃莉诺的资料全都搜罗了来，然后开始在纸上罗列要提的问题顺序，力图使其中有一些对方以前不曾回答过的问题。3 个小时之后，科宁斯终于胸有成竹了。

下午，当他走进约定的房间时，75 岁的埃莉诺已经在那里等着他了。刚一坐定，科宁斯便抛出一个自以为别具一格的问题："请问夫人，在您会晤过的人中，您觉得哪一位最有趣呢？"

"科宁斯。"对方莞尔一笑回答道。

这几个字险些让科宁斯一屁股坐到地上去，他简直不敢相信自己的耳朵："什么？我？这怎么可能？"

"为什么不可能呢？"罗斯福夫人又淡淡一笑，"和一个陌生人会晤并开始一种关系，这难道不是生活中最令人感兴趣的一部分吗？小时候，我总是羞羞答答的，有时甚至到了凡事都会缩手缩脚的地步，自己把自己封闭在一个小天地里。后来，我强迫自己欢迎他人进入我的世界强迫自己走向生活，这样，我才终于体会到了广交新友是一件多么让人精神振奋的事情。"

短短一个小时的采访过程，因为罗斯福夫人的这番话而变得轻松自如、无拘无束，令科宁斯感动不已。

后来，科宁斯的这篇采访报道获得了全美学生新闻报道奖，他也因此成了轰动一时的名人。但据他自己说，这次经历让他收获最大的并非名气，而是影响自己一生的一个座右铭：广交新友，走向生活。

大道理 你向世界关闭了心灵之窗，世界也会向你关闭美好之门。闭关自守不仅仅会使一个国家或民族愚昧落后，更能让一个人忧郁一生、白活一回。

29. 永远都要坐前排

20 世纪 30 年代，在英国一个不出名的小镇里，生活着一个叫玛格丽特的小姑娘。玛格丽特从小就受到严格的家庭教育，父亲从来不允许她说“我不能”或者“太难了”之类的话，并且经常向她灌输这样的观点：无论做什么事情，你都要力争一流，做在别人前头，而不要落后。“即使是坐公共汽车，你也要永远坐在前排。”这是父亲对她说的最多的一句话。

对一个十来岁的孩子来说，父亲的要求可能太高、太苛责了，但玛格丽特后来的成长路程却证明了这种教育方式不但正确，而且极为宝贵。正是因为从小就受到如此“残酷”的教育，玛格丽特才拥有了积极向上的决心和信心，以至于在今后一生的学习、生活或工作当中，她都抱着一种勇往直前的精神和必胜的信念，尽自己最大努力克服一切困难，做好每一件事，并且事事必争一流，以自己的行动实践着“永远坐在前排”。

大学时，学校要求学 5 年的拉丁文课程，玛格丽特凭着自己顽强的毅力和拼搏精神，硬是在一年之内全部学会了。而且，她不光是在学业上出类拔萃，在体育、音乐、演讲等等方面，她也都一直名列前茅，是历届学生中的凤毛麟角。当时的校长甚至给了她如此高的评价：她是我们建校以来最优秀的学生。

也许正是因为永不停歇地向前、向前，玛格丽特才能穷其一生收获无数，让英国、欧洲乃至全世界都记住了她的名字。她就是后来连续 4 年当选保守党领袖，并于 1979 年成为英国第一位女首相，雄踞政坛长达 11 年，有“铁娘子”美誉的玛格丽特·撒切尔夫人。

大道理 做事态度决定最终高度。人的潜能是无限的，越是不停地挖掘，可用能量就越多；反之，如果不思进取，纵容懈怠，则可用能量就会越来越少。

30. 中国老师和美国老师

一伙中国小朋友和一伙美国小朋友在参加中外交流夏令营时，共同看了一部儿童剧，其中令人捧腹大笑的小丑给他们留下了深刻的印象。

夏令营结束后，中国老师和美国老师都要求学生就夏令营写篇作文。

没想到，中美两位小朋友竟然把作文写得非常相似，都表达了自己长大后想当一名“小丑”的愿望。

中国老师看后半是讽刺半是生气地训斥道：“没有出息，你简直就是胸无大志!”而美国老师看后却半是鼓励半是惊喜地说道：“太棒了，祝愿你能把欢笑带给全世界!”

这个故事也许并未真正存在过，但是我们却不得不说：它完全有可能发生，而且几乎是必然地，它会按照上述方式发生。这种说法并非崇洋媚外，而是客观冷静之下的一种感叹。我们必须得承认，我们的教育制度和教育思想，无论是学校教育还是家庭教育，都或多或少地存在某些缺陷。

通过这个小故事，我们应该反思一下：作为长辈，我们是不是太自以为是，以至于把成功的定义狭窄化了呢?

大道理 作为老师或家长的你，会有“压制”和“鼓励”两种选择。在决定你的答案之前，请先确定：成功的定义，没有因为你而变狭窄。

31. 猎人与狼

为了散心，这位富翁跟着一伙猎人到非洲大草原上狩猎。可是他没有想到，某天狩猎场上发生的事情，竟然会让他如此震撼，得到如此深刻的感悟。

那天下午，几位猎人像往常一样扛着枪出发了，富翁也带了一支枪上路。一伙人在草地上跑来跑去，围追堵截之下，一匹狼终于成了他们的猎物。当时的情景是：狼被逼到了一个近似于“丁”字形的岔道口上，它的正前方是迎面包抄过来的猎人，左边也是持枪以待的猎人，只有右边的路空空荡荡，没有一人守卫。在这种情况下，狼本来完全可以选择右边的岔道逃之夭夭，可是出人意料的是，它竟然没有那么做，而是选择了束手就擒。

当晚，当猎人们喜不自禁地扒着狼皮时，富翁把他的疑惑提了出来，最后他问道："难道它就不想再活下去吗？"

"哦不，"和富翁最聊得来的一位猎人回答道，"恰恰相反，它非常想活下去，所以它才这样选择。狼是一种很聪明的动物，它们知道那条看不到敌人的岔道上，必然有它逃不过的陷阱。而眼睛看得到的敌人，倒可能百密一疏，让它得到逃生的机会。它赌的就是后者，这是狼在长期与猎人的周旋中所悟出的道理。"

这番解释令富翁异常震惊，他突然感悟道：在这个相互竞争的社会上，对手是不会给你留下任何机会的，那些看似平坦诱人的岔道，其实正是对方防备最为精密的陷阱所在。而机会和陷阱的辩证关系，也当在其中了。

大道理 现实中，由于竞争过分激烈，真正的陷阱多会伪装成机会，而真正的机会也多会伪装成陷阱。何去何从，不但要看你的运气，更要看你的智慧。

32. 有心与无意

王小川自 1987 年大学毕业后就进入了银行工作，此后的两三年中，初入社会的他一方面感觉到了自身知识储备的不足，一方面意识到了生存于竞争社会的巨大压力。于是，他决心走在社会发展的前沿，继续攻读金融学研究生。

为了尽快敲开中国人民银行总行研究院的大门，王小川选择了一个相对冷门的专业：金融史，可是运气不佳的他一连 3 次都在"金榜题名"之外。第四年，王小川辞掉工作抱着几大本《中国金融史》回了老家，决定猫在小屋里大门不出、二门不迈，来一次破釜沉舟。谁知天不遂人愿，镇上人接二连三地前来打扰他，而且都是拿着一些铜钱银元来向他请教。

怎么回事呢？原来，20 世纪 90 年代中期中国乡镇上正流行一股"古币热"，谣传某朝某代某种不起眼的铜钱拿到某某地出售价格能高至成百上千，所以，一时间大大小小的人家都翻箱倒柜地找寻着老人们留下来的遗物，希望能够不花力气地大捞一笔。那些前来打扰王小川的人，即是手捧古钱币做着发财梦的人们。

看看大伙都是左邻右舍的，王小川起初不好意思说别的，只能不厌其烦地耐心解释。可是时间一久，一传十、十传百，大家都知道了某某镇有位鉴别古钱的“大师”，于是都跑来向他请教了。考完试之后，不胜其烦的王小川索性编了一册《中国历代钱币图考》，一则巩固所学知识，二则为人们提供方便。这部书刚写完，研究生成绩便下来了，可怜的王小川依然未能高中，然而他的书却被某书商看中，当即拍板出了一个高得吓人的价。

几年之后，靠着这本一而再、再而三印刷的《中国历代钱币图考》，王小川已经成了中产阶级。人有了钱有了名，考不考研究生似乎也就不那么重要了，因为他的初衷本来就是希望过得好一点，现在，他已经得到他想要的东西了。

大道理 有心栽花花不开，无意插柳柳成荫，生活经常会给人开这样的玩笑。只是，只要有所收获，甚至采摘到了成功，我们何必太在意起初是有心还是无意呢？

33. 儿子的办法

一个月前，这家装饰公司与某富翁签下了装修其豪宅内景的大额合同，合同中富翁作了如此要求：为了保证我及我家人的安全，所有电线均不得露在表面，而须从墙壁中间的电线管道中穿行前进。

作为整个装修方案的设计师，迈克一时陷入了为难之中，把电线全都掩蔽起来并不是个难题，可是综观合同前后的条文，有一点却是极难做到：装修人员必须把新电线穿进一个 16 米长、直径只有不到 3 厘米的细管道中，而且这个细管道早已经被砌在了几道墙壁中间，弯了六道弯。怎么办呢？迈克冥思苦想也不得其解。

周末晚上，迈克又坐在电脑前思考起了这个问题，不一会儿，6 岁的小儿子过来缠着他去夜市玩，于是他便逗小儿子道："如果你能帮爸爸把这个难题解开，爸爸就陪你去。"

"你说吧。"小家伙竟然毫无惧色。

迈克用彩笔给儿子画了一幅漫画式的"管道图"，然后问他，在这弯弯的管子不动的前提下，你有什么办法把软软的线从这头穿到那头去呢？

儿子歪着小脑袋想了想，然后跑回房间拎来了他的宠物——一对小白鼠。

"我用这个，爸爸。"儿子回答道，"我可以把小胖放在一头，想办法把它弄出声音来，然后把线拴在小瘦的尾巴上，让它从另一头沿着管道去找小胖。等到它找到小胖时，线不是就可以穿过去了吗？"

"天哪，我聪明的儿子，你可真是太棒了！"迈克激动之余，一下子把儿子抱了起来。凭借儿子给他的灵感，他很快就解决了这个问题。

大道理 每个孩子都拥有艺术家般的想象天分，多向孩子学习，许多复杂问题都能得到出其不意的解决。另外，身为师长者，我们应着力保护孩子的这种天分，因为这很可能就是成大器的基础。

34. 企鹅如何登陆

关于企鹅，如果没看过相关介绍的话，大部分人都会提出一个这样的问题：企鹅下海捕完食后，怎么上岸呢？要知道南极大陆的水陆交接处，可全都是滑溜溜的冰层或者尖锐的冰凌啊。企鹅身躯笨重，腿脚又不长，而且既没有可以用来攀爬的前臂，又没有可以飞翔的翅膀，它们如何才能完成这个看起来不可能完成的任务呢？

原来，企鹅们是靠海水的浮力来完成这一高难度动作的，整个登陆的过程是这样的：在快要上岸时，企鹅会猛低头，从海面向海水深处扎去，拼命沉潜。因为潜得越深，海水所产生的浮力就会越大。等到深度足够时，企鹅会奋力摆动双足踩水，托动身体迅猛向上弹起，犹如离弦之箭一般蹿出水面，腾空而起，然后顺势落于陆地之上。从出水到落地，看似笨拙的企鹅会创造出一条犹如倒“U”型般的完美弧线，其优美灵活，令人惊诧。

看到这里，不知道你会不会得到这样的一种启迪：沉潜是为蓄势，看似拙笨，实则聪明至极，有效之至。其实，这不正是一种人生的境界吗？不知道有多少人，会在登陆之前犹如企鹅临岸，但同样不知道有多少人，会不像企鹅临岸一般冷静理智，以至于在距辉煌仅一步之遥时又丧身深海。假如我们能够学一学南极主人，适时假意“沉沦”一下，低头潜伏于深水之中，趁机积聚力量，以便有朝一日反弹向上，势不可挡，岂不是一种生存的大智慧？

甘心沉下去，才可浮上来，这是企鹅给我们的启迪，是我们生存的大智慧。

大道理 不顾一切奋力向前冲并非勇敢，而是愚蠢，因为强者不但易累而且易折；适时低头、委曲求全并非懦弱，而是大智若愚，因为首先低头爬坡，抬头时才可能看得更高。

35. 失约的后果

魏特利是个9岁的小男孩，家住在圣地亚哥。在他家附近，驻扎着一个陆军炮兵团。闲暇时，小魏特利总喜欢跟那里的士兵一块儿玩，久而久之，他们成了好朋友。

一天，一位跟他很熟的士兵忽然约他道：“明天是星期天，如果你有空的话，早上5点我带你去船上钓鱼。”

一听这话，小魏特利高兴地跳了起来，大声喊道：“有空，我有空，明天早上5点，我会准时在这里等你！”

那天晚上，兴奋的魏特利在床上翻来覆去，怎么也睡不着。要知道，自打出生到现在，他还从来没有靠近过一艘真船呢！随船出航，可是他做梦都想的事。而且，虽然他很喜欢钓鱼，可是爸爸从来都不肯让他自己钓，怕他着急时一下子掉进水里去。这下好了，有了士兵哥哥的陪伴，他的梦想就能实现了。魏特利越想越激动，干脆爬起来准备起第二天要用的东西来。“我要穿球鞋，这样就能跑得快一些，还要穿这件白色海军服，以便照相时留个纪念……”他一边从箱子里往外拿东西一边嘟囔着。东西都收拾好之后，依然睡不着的魏特利开始幻想明天的情景。大概快凌晨时，他才迷迷糊糊睡了过去。

第二天早晨，还不到4点钟，小魏特利就开始忙活起来了。4点半时，他已经到了约定地点。但是，他怎么也没想到，那个士兵失约了！他竟然失约了！

7点钟，在寒风中等了两个多小时的魏特利开始往回走，他并没有因此而恼怒不休，也没有懊恼不已，而是发挥了一个9岁孩子最擅长的东西——天真。他跑进房间，打开储蓄罐，把自己几年来攒下的钱全拿了出来，然后买个了大橡皮艇。费了两个来小时的工夫，他才把橡皮艇的气吹满，然后，他便推着这个自制的“油轮”下了河。

在河里，小魏特利度过了他记忆中最美妙的一个下午，他钓到了几条小鱼，享受了美味的巧克力，还模仿爷爷喝酒的样子大口喝着果汁。

很多年以后，已经成为潜能激励专家的魏特利还时不时说起这件事，他说：“那是我人生中至关重要的一课，我学会了非常重要的一点：当对方失约没有带你去钓鱼时，你要学会独立自主。的确，从那以后，我就成了非常独立自主的人。”

大道理 仅有欲望是不足以旗开得胜的，关键时刻，你必须学会依靠自己的力量实现自己的梦想，因为别人——除了你之外的任何人，都有可能对你失约。

36. 另一种歧视

大伟一直是个让人头疼的孩子，勉勉强强读完了初中之后，毕业时他怎么也不想再上学了，几经父母的“威逼利诱”，他才自费上了一所普通高中。

这所高中的水平实在是太差了，据说自从建校以来，每年考上重点大学的人数从来没有超过3个。但不得不提的是，年年创造这个“奇迹”的是同一个人，他就是大伟所在毕业班的班主任张老师。

对于这个传奇式的人物，全校同学无不崇拜之至，唯独大伟对此不屑一顾。他常常冷冷地盯着讲台上热情洋溢的张老师，心想如果你老张能让我大伟也考上重点，那我就服了你！的确，这件事不容易办到——当一个人自暴自弃、心如死灰时，外力再大又有何用呢？

张老师显然猜到了大伟的心思，但更多的，他注意到的是大伟聪明的脑瓜。的确，大伟虽然爱捣蛋，脑瓜却异常聪慧。怎么办呢？如何才能调动起他学习的积极性呢？张老师冥思苦想着。

某天课上，张老师正在认真地给大家分析一道压轴几何考题时，大伟又在下面看起了武侠小说。气不打一处来的张老师几步走过去，当着全班同学的面把他那本书撕了个粉碎，然后用教鞭“啪啪”抽了几下课桌道：“粪土之墙不可圬！像你这种人不回家种地在这里坐着干吗？等着考大学吗？你要能考上大学，中国就能提前几百年进入共产主义了！”

从来没有受过这种侮辱的大伟当时就愣住了，半晌，他才咬着牙说了一句：“我一定让你看看，我大伟绝对不是孬种！”

说到做到，大伟从此拼命学习起来，这从他的月考成绩上就能看出来。几次月考，他每次的名次都能突飞猛进不少。可惜的是，尽管一直在进步，第一年高考时他还是离梦想的大学差了十几分。不肯就此罢休的大伟选择了复读，第二年，他终于以超出录取线30多分的成绩被北方的一所重点大学录取。

等来这个结果时，大伟满脸冷漠地去找张老师，但两鬓斑白的张老师却紧紧握住他的手，一句话也说不出来，似乎比他本人还激动。一下子明白过来的大伟立刻泪流满面。

人世间不知道有多少令人痛心与痛恨的歧视，唯独这一种，令人感动！令人期待！

大道理 宁可让一个人感觉痛苦和屈辱，也不能让他麻木不仁，因为与肉体的死亡相比，心灵的死亡更可怕，也更可耻。

37. 最好的教育

他出生在农村，因为家庭条件太差，他只读完初中就被迫撕掉重点高中的录取通知书，随村里的打工一族南下打工了。来到深圳之后，灯红酒绿的生活瞬间令他头晕目眩，他暗暗发誓，一定要在这所城市中谋取到自己的一席之地。

半年后，由于勤奋负责又忠诚朴实，他被提拔成了车间主任。又过了一年，凭着过硬的技术，他已经当上了技术部经理。老板对这位来自农村却极为好学的青年甚是看重，常常带他去见识各种各样的场合。

某天，老板接到了两份邀请，碰巧的是，这两份邀请竟然约他在同一时间前去谈判。分身无术的老板为了把这两份订单都保住，便安排这位青年去应付其中的一份。

谈判结束后，青年看出，外商对他们公司并不算十分满意。为了加重成功的砝码，他邀请外商共进晚餐。不想一场共餐，居然令外商对他以及他的公司印象大为改观，进而即刻敲定了一大批订单。

这到底是怎么回事呢？难道是餐桌上的珍馐美味让外商改变了主意？当然不是，要知道那虽然是一场重要的共餐，出身贫苦的青年却从实际出发，只简简单单地点了几个菜。但让外商大为惊讶的是，晚餐快结束时，这位中方经理喊来了服务员小姐，要她把餐桌上吃剩的几个小笼包打包装了起来，这种事可是他在中国这么多年从未见到过的。

“我想问你一个问题。”外商轻轻地说道，“请问你受过什么教育？”

“哦，我家很穷，上完初中后我就不得不退学了。我所受的教育，都是我那不识字的父母通过一粒米、一分钱传授的。他们常常对我说：家里并不指望你高人一等，只希望你老老实实做人、踏踏实实做事。”他淡淡一笑回答道。

外商大为赞叹地端起了最后一杯酒：“我提议，为您尊敬的父母干一杯，因为他们，你受了最好的教育！”

原来，贫穷并不可怕，也绝不可耻，只要我们没有因为贫穷而放弃学习、放弃尊严。

大道理 贫穷是最好的大学，在这所学校里，你不但能学到谋生的技能，还能学到做人的基本道理，但前提是，你并未因贫穷而丧失前进的信心以及做人的自尊。

38. 好老师与好学生

新学期开始不久，班主任杨老师就发现了一个奇怪的现象：每当自己提问时，那个叫苗苗的小个子男生都会非常积极地举手，可是当被叫起来时，他却几乎一次也答不上来。这是怎么回事呢？迷惑不解的杨老师于是悄悄问了问苗苗。

结果很是出乎意料，苗苗告诉她，因为自己一直学习不好，同学们老称他为大笨蛋，如果在课堂上他连举手都不敢的话，同学们就会更加笑话他是胆小鬼。原来是这么回事，杨老师点了点头，然后又问苗苗道："你举了手，老师就会认为你知道答案，把你叫起来你却答不出来，是不是下课后大家更会笑话你呢？"

苗苗的眼睛扑闪着亮晶晶的泪花，小脑袋使劲儿点了点。

"哦，那让老师想想应该怎么办。"杨老师边说边琢磨起来，忽然，她灵机一动想出了一个好办法，只听她对苗苗说道："以后老师提问时，如果你真的知道答案，就举右手；如果你并不知道，就举左手。这样一来，老师看一眼就会明白了。放心，如果你举左手的话，老师绝对不会提问你的。"

自从有了这个约定之后，杨老师欣喜地发现，苗苗越来越活泼开朗了，而且似乎也更认真地学习了。课堂上，他举起右手的次数也越来越多了。那个学期期末考试时，苗苗居然从全班倒数一下子跃进了全班前 10 名。从此之后，再也没有谁嘲笑苗苗了。

多年后，已经成为某重点大学学生的苗苗回忆起当年的情景，依然禁不住泪光莹莹，他说："如果当时杨老师告诉我，以后无论我怎么举手，她都不会再提问我的话，我一定不会走到今天。因为当时，我的自尊已经薄成了一张纸，任何人再稍稍点一下，我都会立刻伤痕累累。”

哦，原来聪明的杨老师不仅仅在安慰一个学生，还是在拯救一个人的人生。

大道理 你若想提升一个人的尊严，就得设法保护好他现有的尊严，因为尊严能催生尊严；你若想促使一个人更快地提高自身价值，就得注意关照他现有的精神层面，因为精神能激发精神。

39. 卖鸡蛋

泰勒刚满 7 岁，正上小学一年级，可就是这么一个小毛孩，居然做起了“卖鸡蛋”的生意。

事情还要从一年前说起。去年春天，泰勒妈妈的一位朋友送给泰勒一只半大的母鸡玩，在他的精心照料下，母鸡长大生蛋了。再后来，小泰勒按照在幼稚园里学到的孵化方法把其中的十来只孵成了小鸡。今年秋天，这批小鸡也生蛋了，所以泰勒便在学习之余做起了鸡蛋生意——他在镇上的居民家里跑来跑去，把印有自己照片、名字和家庭电话的小卡片分发到各家，并告诉他们：如果需要鸡蛋的话，打这个电话，自己会送货上门。居民们显然很喜欢这个长着满头金发的可爱男孩，所以纷纷向他订购起鸡蛋来。一时间，小泰勒忙得不可开交。

“到现在为止，靠着卖鸡蛋，我儿子已经挣了一百多块钱了!”泰勒妈妈自豪地向我介绍道。

“他赚这么多钱做什么呢?”我问道。

“买玩具、买图书、买他感兴趣的任何东西。”泰勒妈妈以一种“理所当然”的口气说道。

“那，难道你和你先生不给他零花钱吗?”不解之下，我问出了一个这样的问题，要知道在美国这个被称为“儿童天堂”的国度里，任何一个孩子都享有父母给付零花钱的权利，更何况是泰勒家——他家可是镇上有名的富裕人家。泰勒爸爸是位颇有名气的律师，年薪不下百万。妈妈自己经营着一个儿童用品商店，收入也颇丰。他们是不会差这点钱，也不会用这种方式为难孩子的。

“哦，当然，不过现在不给了，他不要，因为根本用不着。”泰勒妈妈耸了一下肩膀，很得意地回答道。

听到这里，我有种莫名的感慨，心想若是在中国，六七岁的孩子正是“皆事靠父母”的时候，根本不可能抽出时间来劳动、挣零花钱，而且即便他们想，父母们也绝对不会允许。我并非崇洋媚外一族，却不得不承认中美之间确实有不小的差距，仅从六七岁的孩子身上，我们即可略见一斑。

大道理 让孩子从小就接受生活的磨炼，体会劳动是财富和知识的源泉，也是生存的基础，这对一个人的健康成长至关重要。

40. 从落榜生到研究生

由于偏科太严重，他未能进入大学深造；但回家务农的他并没有放弃对数学的热爱。无论家里、地头，一有空他就专心致志地扑在心爱的数字上。父母不止一次地斥责他，邻居不止一次地笑话他，可他听而不闻依然如故。

几年后，他进了一家工厂，当工友们聚在一起抽烟、喝酒、打扑克、谈女人时，他还是蹲在一个角落里琢磨着艰涩的数学理论。再后来，为了接触到更前沿的数学知识，他辞掉了待遇还算不错的工作，在家人的责问中、别人的揶揄中应聘到一所大学里当清洁工，以便寻找机会躲在教室外面旁听。

经过数年的努力，他研究的理论已经高深到无人能看懂的地步，他的论文也因为过于复杂没有谁能够认可或接纳。但即便如此，不知天高地厚的他还是沉浸在数学的世界里。有一次，他甚至跑到北京某著名的研究所里毛遂自荐，结果被保安毫不留情地给轰了出来。

许多年后的一天，他在上网聊天时偶然结识了一位数学教授。一经交流，对方立刻被他的才气震动了，最后，顺理成章地，他被那位教授推荐到国外的一所著名大学中深造，完成了从小人物到数学家、从落榜生到研究生的直接蜕变。

这是一个“陈景润”式的故事，现实中这样的人其实不计其数，虽然结果像主人公这样理想的并不多，但由此我们可以感悟到的是：生命的富有与贫穷，其标准并不在于自身所拥有财富的多与少，而在于自己给自己所留下的心灵空间。坚守的心灵空间越大，我们所能获得的充实感、快乐感就越多，即使最后我们在物质上依然两手空空，可每时每刻都活在愉悦里，这，难道不比什么都重要吗？

大道理 虽然成功必须经由努力而得，但并非所有的努力都能赢来成功的结果。只是，即便没有世俗意义上的认可与物质上的收获，能够终生耕耘在自己所喜爱的领域里，不也是一种巨大的幸福吗？

41. 模仿的后果

某天，两位美国人和两位犹太人一同搭火车旅行。

单纯的美国人认为坐车买票天经地义，于是一人买了一张票；但是聪明精细的犹太人却不以为然，他们两人只买了一张票。见此情景，美国人大惑不解地问犹太人：“难道你们就不怕查票吗？”“我们自有办法。”犹太人狡黠地眨眨眼睛。

火车出发后不久，车厢一端便传来了列车长喊查票的声音。美国人歪着头看着犹太人，心想我看你们怎么办？只见两位犹太人从容地一笑，一起站起来走进了车厢另一端的洗手间。

列车长走到洗手间门前时，用手敲了敲门：“里面的乘客，车票看一下！”门开了一条小缝，一只手拿着一张票伸了出来。

“好了。”列车长回复道。大概他从未想过，一间厕所会躲着两个人。

到了目的地之后，4个人大玩特玩，很是高兴。踏上归途时，两位美国人小声嘀咕着："昨天来时，犹太人的办法还真是不错……"不用说，他们也决定只买一张票。

上了火车找到座位之后，4个人聊起天来。

"你们还是只买了一张票吧？"美国人自以为很聪明地问道。

"哦不，我们一张也没买。"犹太人答道。

"一张也没买？"美国人惊讶地重复道，"这下你们可惨了。据我所知，这趟列车查票可是很严格呢。""我们自有办法。"犹太人还是那句话。

查票又开始了，美国人暗自得意，等着看犹太人的笑话，但一想到他们两人只有一张票，就赶紧躲进厕所里去了。

两人刚把门关上，就听见有人在外面敲门。于是他们也学着犹太人的样子把门开了一条小缝，伸出一只拿票的手来。

"谢谢。"外面的犹太人说了一声，然后迅速拉起同伴往另一节车厢的洗手间奔去……

大道理 学习别人的长处和优点，固然是发展自我的捷径。但应注意的是，一味模仿、全盘照抄是达不到效果的，只有把其内在的精髓、观念提炼出来，我们才可能避免肤浅的"表面文章"。

42. 迷信？科学！

这一带盛产食盐，很久以来，居住在这里的部落一直靠着把盐换成粮食过活，今年也不例外。眼看时间临近初冬，老族长又带着村民出发了。临行的前一天晚上，大伙露宿于荒野，按照祖祖辈辈流传下来的老方法占卜着天气：在地上燃起篝火，然后把几块盐投入火中，如果盐块发出"噼里啪啦"的声响，那就是好天气的预兆；如果盐块毫无声息，那就象征着天气即将变坏，风雨随时都可能来临。当然了，假如占卜结果是后者的话，族长就会宣布推迟进城的时间。

看着老族长神情严肃地取盐、投盐，然后又在火中盐块毫无声息之后神色黯淡下来，临行者中的一位年轻人不禁轻轻笑出了声。他是这个落后部落里第一位读过书、进过城、见过大世面的人，所以他的话在大家心中一直很有分量。这时，只听他清清嗓子说道："'以盐窥天'是迷信，现在都是20世纪了，我们应该相信科学。看今晚月明星稀，天气一片大好，还占卜什么啊。"

"不行！"老族长很肯定地说道，"盐块已经告诉我们，最近几天会有暴风雨，我们需要推迟启程。"

"我反对！"那位年轻人又说道。

见识颇多的年轻人和经验丰富的老族长争论了半天后，到底是德高望重的族长占了上风。年轻人不服气地想：等着吧，等明天阳光灿烂，你就该自打嘴巴了。谁知第二天下午，原本晴空万里的好天气风云骤变，不多时便风雪交加。

"这是怎么回事呢？"年轻人百思不得其解，"难道是巧合？"

其实，这根本不是什么巧合，族长的"占卜术"是非常正确的。如果用科学解释，盐块在火中是否会发出声音与空气的湿度有关。当风雨快来时，随着空气湿度的加大，盐块会受潮，投入火中时必然喑哑无声；而天气一片晴好时，空气湿度较小，干燥的盐块一旦燃烧肯定会噼啪作响。

看来，古老的"法术"未必全都与今天的科学相悖，那些被年轻人看不起的老人哲学、人生理念，有时会像盐块，越是陈旧就越会结晶，成为一种至佳的法宝。

大道理 一味囿于经验固然可能固步自封，但一味否定经验同样难免夜郎自大。要知道，许多从生活中得来的智慧都是暗含深刻的科学道理，并被长期的生活实践所证明的。

43. MIA2型坦克的诞生

乔治·巴顿中校是美国最优秀的坦克防护装甲专家，某天，他接到了研制MIA2型坦克装甲的任务。为了更出色地完成任务，他找来了毕业于麻省理工学院的著名破坏力专家迈克·马茨工程师做搭档。这两位一位擅长创造，负责研制防护装甲；一位擅长破坏，专门负责摧毁前者已经研制出来的防护装甲，真可谓是“冤家对头”。有关部门宣布开工以后，两位都带领各自的研究小组开始了工作。

刚开始的时候，占上风的总是马茨，因为他总是能够轻而易举地将巴顿研制成功的新型装甲破坏掉，“逼”得巴顿不得不一次又一次地更换材料、修改设计方案。终于有一天，马茨使尽浑身解数也未能炸烂巴顿最新研制成功的新型装甲。于是，巴顿成功了。

后来，这种装甲被命名为 MIA2 型坦克，迄今为止，他依然是世界上最坚固的坦克。

大道理 出现问题并不可怕，可怕的是不知道问题出在哪里。而最能帮你发现问题所在的，莫过于你的对手。因此，要想更好地解决问题、更快地发展自我，借助敌家对手的力量是最明智、最快捷的。

第十五章

职业与事业

1. 马克·吐温弃商从文

大文豪马克·吐温年轻时曾经十分热衷于经商，但是很不幸，尽管他绞尽脑汁、夜以继日地拼命，最后还是弄了个一败涂地、血本无归。

从不服输的马克·吐温咬咬牙，打算东山再起，于是他静下心来总结经验教训。经过分析，他认为自己之所以失败，是由于从事不熟悉的行业所致，于是他改变了策略，改成做自己比较熟悉的出版业。但遗憾的是，他又一次失败了。

无奈之下，马克·吐温垂头丧气地跟妻子商量对策，没想到妻子很平静地对他说道："别灰心，亲爱的！我相信你一定能成功。只不过，我一直觉得你不适合经商，而是适合文学创作。"马克·吐温抬起头来苦笑道："我们连吃饭的钱都没有了，我哪还有心情去写作！"

妻子拉开抽屉，拿出厚厚的一叠钱道："放心吧，我们还饿不死。我早就作好了打算，所以每周都会从伙食费里省出一部分来攒着。"

听从了妻子的建议之后，马克·吐温开始了文学创作之路。果然，他最终成了一名伟大的文学家。

大道理 只有从事与自己性格相适合的职业，才容易成功。不同的行业，需要不同的性格，如果违背自身性格做事，往往难以成功。

2. 琴师与歌唱家

他的钢琴弹得很棒，他也一直想着有朝一日能大红大紫。可惜数年来，幸运女神始终未曾光顾过他，至今，他还在一家小酒吧里弹琴为生。还好，许多人很喜欢听他的曲子，所以除了薪水，每个月他都能拿到一部分小费，这稍稍改善了他窘迫的生活和压抑的内心。

可是毕竟他会的曲子有限，听众们翻来覆去地听那些熟悉的曲子，终有一天会听烦的。果然，当他在这个酒吧里工作半年之后，慕名前来听琴的客人已经很少了。

终于有一天，一位中年顾客叫停了他正在卖力弹奏的曲子："小伙子，我很喜欢听你弹琴，可是每天都听你弹奏这些曲子，我都快不能忍受了，你不如唱首歌给我们听吧。"

中年人话音刚落，其他人就跟着附和起来。客人的要求让他尴尬万分，虽然他曾经学过一段时间声乐，可是与钢琴比起来，那简直就是一个地下，一个天上。怎么办呢？正在犯难之际，酒吧老板发话了："快点啊，客人们不过是想换换口味而已，管你唱得好不好呢！今天晚上，你或者选择唱歌，或者选择走人，我可养不起不尊重客人要求的员工！"

情势所逼之下，他不得已腼腼腆腆地唱了一首《蒙娜丽莎》。不料他不唱则已，一唱惊人，下面的听众顿时被他流畅自然、男人味十足的唱腔迷住了。那个晚上，在大家接连不断的叫好声中，他不得不把自己所会唱的所有歌曲都翻出来唱了一遍。

后来，在朋友的怂恿下，也是在短暂辉煌的鼓励下，他放弃了已经弹奏多年的钢琴，改向流行歌坛进军。不想没过多久，他便实现了自己做了多年的梦，成了美国著名的爵士歌王。他的名字叫纳京高。

大道理 目前所从事的事业并不一定就是最适合我们的行业，要想自己的才华不被掩盖住，我们就得开拓视野、不怕变化且多做尝试，也许在别的领域，你会做得更好。

3. 做真正的自己

法国著名作家大仲马的儿子小仲马，也是一个非常喜欢写作的人，但是刚开始时，他的稿子总是遭遇退稿。

大仲马不忍心看儿子受挫，便对他说："你可以在你的稿子后面附上一句话，提示一下你和我的关系，这样情况就会好一些。”没想到这个看似绝妙的提议却被小仲马一口否定了：“不，我不想坐在你的肩膀上摘苹果，我要靠我自己。”就这样，小仲马不停地变换着笔名，单从名字上看，谁都不会把他和大名鼎鼎的大仲马联系起来。

一次又一次的退稿更激发了小仲马的创作热情，终于，他的付出有了回报——他的《茶花女》以绝妙的构思和精彩的文笔震撼了一位资深编辑。当这位编辑因为寄稿人与大仲马丝毫不差的地址而起疑前来寻访时，才发现原来这部伟大作品的作者竟然是大仲马名不见经传的儿子！

“您为何不在稿子上署真实的姓名而要用这个人人陌生的笔名呢?”老编辑很奇怪地问，“那样会对你非常有利的。”

“是，”小仲马微笑着回答，“但是我只想拥有真实的高度。”

老编辑顿时对小仲马的做法发出了由衷的感叹。

最终结果证明，小仲马一点也不比他的父亲差。

大道理 靠山山倒，靠水水流，唯有靠自己的真本事，才可能赢得长久的尊重；倘若没有真才实学，即便一时名起也早晚会贻人口实。

4. 丘吉尔炒股

英国前首相丘吉尔，在政界上是个翻云覆雨的人物，可谓才华横溢，但是他也有做不好的事情。

1929 年，丘吉尔跟他的老朋友、美国证券巨头伯纳德·巴德克参观华尔街股票交易所时，被那种紧张、热烈的交易场面吸引了，于是他也想一试身手。看到巴德克不以为然的表情，暴躁的丘吉尔很恼火，心想我从政多年，偌大一个英国我都敢面对，这小小股票难道还能难得倒我?

这样想着，丘吉尔便买了一支股票，然后骄傲地等待着结果，没想到这支股票一跌再跌，把他套牢了。于是很不甘心的他又挑选了一支很有希望的股票，然而这支股票也走了熊市，他又一次被套住了。

就这样，一天下来，丘吉尔买什么赔什么，到了交易所快收盘时，他已经快破产了。

正为此事烦恼时，巴德克拿着账本走了过来："我早就预料到，你在军事和政治上大有作为，但未必对股票也了如指掌。所以，我以你的名字开了另一个账户，你买什么，这个丘吉尔就卖什么，你卖什么，这个丘吉尔就买什么。你看，现在基本持平，否则的话，我想你早就……"

听到这里，丘吉尔哈哈大笑起来。

大道理 任何一个人都有其适应的行业，在这个行业里战绩辉煌，不见得在其他行业也能翻云覆雨。所以请坚守自己成功的场地，不要错上了别人的舞台，否则只会一败涂地。

5. 排在最后

因为家庭条件太差，小林初中毕业后就选择了外出打工。他的第一份工作是在一家装饰材料店做学徒工，虽然工资很低，但是小林很高兴，因为在这里他能够学到很多东西，比如鉴别各种装饰材料的优劣、关于家居装饰与写字楼装饰的理论与实践等等。最让他开心的是，老板给众员工配了两台电脑。这样每当闲暇时，小林都有机会在电脑上学习他着迷的装饰设计。

几年后的一天，小林出外装修时，听见那位客户正在谈论一件让他兴奋的事：市里最大的那家装饰公司正在公开招聘装修师。第二天，他就请假去了那家单位参加面试。可是来到现场一看，他的心顿时凉了半截——等待面试的人早已经排成了一条长龙，而他是最后一个。在等待的过程中，他隐隐约约地听着前面人的讨论，很显然，他们都是有学历的人，最低也是个大专。"看来，只能以'智'取胜了。"小林心想。

终于轮到他面试了，小林一见到经理便说：请您先别问我的学历好吗？我一定能胜任这份工作，不信您让我演示给您看。说着，他便用手指着面试间的地板断言这是XX材料的，然后就它的优点、缺点说了一大堆；又走到窗前嗅了嗅窗子的木料，说这是XX做成的；再然后，他敲敲经理让给他的椅子，说这是实木而不是压制材料的。

他这一番话让面试经理连连称奇，但是随后经理又说道：“光会分辨材料并不够。”“我知道，请您给我一套样板房的平面图吧，我可以当场做设计方案。”小林胸有成竹地说道。结果不到 15 分钟，小林便交上了让对方十分满意的方案图。

当然，最后公司录取的人员名单中，包括这位既没学历也非科班出身的小林。

“我排在最后，这看似不利，实则不然，”小林说道，“如果我排在中间的话，只要拿不出学历证明，面试人员一定会二话不说淘汰我。但是我排在最后的话，面试人员就可以留给我足够的时间来展现实际才能。只有这样，我才能抓住唯一的一点希望，一举成功。”

大道理 最后不等于落后，巧妙利用“排在最后”这个条件，就有可能让我们转败为胜，于不可能中创造可能。而主动排到最后，这非但不是退缩与胆怯，还可能是一种从容的智慧和生存的技巧。

6. 主人杀鸡

一大清早，报晓的公鸡就“喔喔”地叫起来，贪睡的主人烦躁地在床上翻着身。结果，天刚亮，主人便起身把那只公鸡拎出来杀掉了。

第二天清早，又有一只公鸡“喔喔”地吵醒了主人的美梦。天亮之后，它也被主人杀掉了。

于是邻居非常不解地问这个人：“你们家的公鸡多好啊，每天都能准时报晓，不用看表你就可以按时起来了。你杀了它们干嘛?”

这人道：“我养的是和母鸡交配的公鸡，而不是报晓的公鸡。”

邻居说：“报晓是公鸡的天职，只要是公鸡，就要报晓的啊。”

“我喜欢睡懒觉，它们却总是这么早打扰我。所以，我只好谁叫就杀了谁了。”这人想当然地回答道。

“难道你就不能用另一种方式来解决问题吗？这些公鸡还没长大呢，杀掉多可惜啊。你可以改一改你贪睡的习惯啊。”邻居建议道。

"改掉我贪睡的习惯？怎么可能！"这人立刻反对道，"几十年了我都这么过来的，为几只公鸡改变我自己？不可能！再说了，我是它们的主人，它们应该听我的话，符合我的要求，如果胆敢违背我的意思，受损失的当然只能是它们，难道还会是我吗？"

大道理 如果不是老板，请不要做报晓的公鸡。下属必须符合上司的意思，这是职场的天然规则，假如你今天不肯改变自己作出让步，在不久的将来必会为此付出不小的代价。

7. 阿华送稿

阿华是位刚刚毕业的大学生，多次碰壁之后，他终于在某杂志社找了份送稿生的工作，职责就是每天早晨将城里各位专栏作家的稿件收集起来，送到杂志社的副刊编辑部里。

由于来之不易，阿华极其珍惜这份工作，因此总是兢兢业业地干活。但是奇怪的是，虽然他非常勤奋，送稿的速度却是很慢，几乎每次都排到诸位送稿生的后列，有好几次，还险些误了印刷。

原来，为了能让编辑同志们更好地整理稿件，他总是在回来的路上一边走一边给那些文章分章节、改错字、插标题等等，所以每次他上交的总是问题最少的抢手稿件。各位编辑因此都非常喜欢他。

听说这件事以后，主任很奇怪地问他："你为什么要多做这些工作呢？要知道，虽然你做的远远超出了职责范围，但除了送稿生的薪水，杂志社是一分钱都不会多给你的。"

"没关系，"阿华回答道，"我不在乎今天的报酬，我只在意自己是不是每一天都在进步。多接触一些工作，我才会一点点提高起来，这样我便有机会得到更高的职位。那时候，我的薪水自然就会高了。"

凭着这股精神，几年之后，阿华成了这家杂志社的主编。

大道理 多播种才可能多收获，因为成功总喜欢眷顾有准备的人。不以多承担责任为亏，多锻炼、多积累、多发展，幸运早晚会光顾你。

8. 马蹄铁与酸梅子

父子二人正徒步穿越沙漠，走了许久之后，大漠还是茫茫无边。看看食物和水都已经不多，两人便极其节省地使用，生怕撑不到最后。

饥渴难忍之下，疲惫不堪的两人相偎着坐下来休息。忽然，儿子的屁股被什么东西硌了一下，他伸手挖出来一看，原来是一块马蹄铁。

“可能是路人遗失的。”父亲说道，“把它装进包里吧。”

“什么?”儿子很不屑地回答道，“我们都已经累成这样了，还要带这么重一块铁?又没什么用!”他伸手指了指前面一望无际的大漠。

“不，它会有用的，带上它吧。”父亲吩咐道。

“我不带，要带你自己带。”儿子固执着。

就这样，父亲把那块马蹄铁装进了自己的包里。又走了两三天之后，他们终于来到了一个小小的绿洲上，由于身无分文，父亲便把那块马蹄铁拿出来换了几百枚钱，然后又用这些钱买了几斤酸梅子。

重新踏进沙漠之后，已经没有水喝的儿子再度陷入了绝境。前面的父亲一句话不说，只是拿出酸梅子来开始吃，每吃一颗丢下一颗。为了活命，儿子不得不一路弯腰捡着父亲丢下的梅子。

大道理 机会是上天的恩赐，也是一个人发展自我的最佳平台，当它到来时，哪怕你并不晓得它有什么价值，也一定要抓住。因为一旦错过，再弥补往往需要付出十倍、百倍的代价。

9.“80”而立

他算不上不幸，只不过碌碌无为罢了。

他出身于一个农民家庭，14岁时辍学流浪。

他在农场干过杂活，因为不开心辞职。

他在电车上做过售票员，也因为不开心辞职。

16 岁时他谎报年龄参了军，军旅生涯照样不顺心。

服役期满后他退伍做了自己的老板——开了一家铁匠铺，可惜没多久就倒闭了。

随后，他当上了自己非常喜欢的铁路公司的机车司炉工，他欢欣鼓舞，以为命运终于开始对自己展露笑脸。没想到，当他娶了媳妇准备要个孩子时，他又被解雇了。再接着，当他满身疲惫地寻找新的职位时，太太卖掉所有的家产逃回了娘家，他变得一文不名。

卖保险，不行；卖轮胎，赔本；经营渡船，出事；开加油站，失败；做厨师，餐馆倒闭。

失败从未因为他的努力而退缩过，但他也从未因为失败而放弃过，只是无奈的是，当他还在屡败屡战时，退休年龄已经逼近了他，那张 105 美元的支票宣布了他的老年。

“凭什么!”哈伦德愤怒了，“我的一生不过才刚刚开始!”

的确，他的一生才刚刚开始，因为他等的就是这笔退休金，虽然不多，却足够做他新事业的成本——肯德基家乡鸡。

大道理 成功不分年龄。生命是一架梦想的天梯，这端是你，那端是你理想中的天堂，你一定能到达那个天堂，只要你永不放弃。

10. 谁比谁强

这是某公司的面试现场，两位男孩正同时被一组面试官面试。

第一位男孩：

面试官：你对电子懂多少？

男孩：不算太多，我只接触过电子表，玩过任天堂，平常喜欢摆弄摆弄电视机。还有，我看过一次同学开关机，两次……

没等他说完，面试官就转向了另一位。

面试官：你呢？你对电子懂多少？

男孩略略想了一想说：一般的掌上型单晶片时脉输出电脑（也就是电子表）我玩过很多，很小就开始用它编辑一些作业流程（如闹铃功能等）；多功能虚假实境模拟器（任天堂）比单晶时脉的要复杂一点，不过我现在已经能够完整地测试许多静态资料储存单元了（就是玩游戏）；初中之后我开始对那些复频道超高频无线多媒体接收仪器（电视）感兴趣，经常在固定的时间锁定某特定频道的资讯（指固定时间播出的某电视节目）；对于更高科技的电脑呢，我大学时的一位助手伙伴（同学）经常在我的监控之下进行内部储存与外界信号之间的互换（开关机）……

面试官：非常不错！从明天开始你就来上班吧。这是你的司机，你的配车在地下停车场，让司机带你去公司给你提供的两居宿舍吧。

大道理 复杂问题简单化、简单问题复杂化，都是处理问题的方式。至于你应该用哪一种，不但要适于情境，还要适于对方的心理需要。

11. 留美博士找工作

这位留美的计算机软件博士绝对没想到，他回国之后找工作竟然会四处碰壁。这么好的专业，这么高的学历，这么棒的外语，他怎么就找不到一份满意的工作呢？

没办法，博士只好把所有的资历证明都收了起来，声称自己是一个高中毕业后在某民办计算机培训班培训了两年的小人物。意外的是，他竟然很快就找到了一份对口的工作：基础程序录入员。当然了，这份工作与他的实际水平并不相符，但是没关系，是金子早晚都会发光的。

果然，不久之后，老板就注意到了这位能纠正程序错误的“小人物”，觉得他的水平不止能干基层工作，所以就提拔了他一次。再后来，老板发现他依然游刃有余于新的职位，于是就又提拔了他一次。这时候，他的工作难度已经跟硕士生基本齐平了。

不久之后，老板发现他干起工作来竟然还是绰绰有余，便心存疑惑地找他谈话。博士这才不好意思地亮明自己的身份：美国某名牌大学的计算机软件学博士。

老板恍然大悟，立即拍板：请您以技术入股，负责咱们公司的对外交流软件这个部门，您的股权为16%。

大道理 与其让人由期望到失望，不如让人由无所谓到希望。适时亮出自己的底牌，才能既不让人感觉难以与自己合作，又不至于让自己因为对方过高的期望而背负重担。

12. 看你怎么说

妓女、小偷和医生同时死亡，来到阴曹地府等待审判转世。

阎王爷一指妓女道："你在阳间是干什么的？"妓女回答："我专门收留一些苦闷男子，让他们尽享夫妻之乐。"阎王爷点点头："此乃善行，应得好报，你转世去个富贵人家吧。"

接下来阎王爷问小偷在阳间做什么，小偷答道："我喜欢助人为乐，所以一直在帮助别人。比如有人东西太重，我就会替他分担一些；有人东西没收藏好，我就会捡回来替他收藏；有人家里钱财太多，我怕他失火或遭人算计，就将之转移到我家，好好保管……而且，我做这一切从来不求回报。"阎王爷又点点头："好，也是个好人，我保你来世福禄绵长，长命百岁。"

看到这里，医生沉不住气地大喊道："阎王爷，您被他们骗了。"没想到阎王爷当即大怒："大胆，你是谁？竟然敢在公堂之上对本王这样说话，难道我是个昏君不成？"

医生理直气壮："我生前是一名医生，专门救死扶伤，解救濒临死亡之人。"

没想到阎王爷更火了："我终于找到你了，难怪这段时间小鬼们老抓不到人，原来是你在跟我作对！我要把你打入18层地狱，让你永世不得翻身！"

大道理 说真话也要讲究技巧，因为即便是同一个事实，如果表达方式不同，也有可能让坏人免于受罚，让好人难逃吃亏。

13. 未封口的信

这几个人是刚刚招进公司的销售人员，总经理看了看他们，很严肃地指着报架说：这个报架顶端有一封信，虽然没有封口，但是你们谁也不许打开看。

几个人面面相觑，都是满脸的不解之色，终于其中一个比较勇敢的员工问道："为什么？报架不是对所有内部人员公开的吗？"

没想到总经理当时就火了："告诉你们不能看就是不能看，哪有这么多为什么！"吓得那个员工吐了吐舌头，一句话都没说出来。

半个月过去了，新来的员工渐渐熟悉了公司的环境，也开始像老员工们那样随便去取阅报架上的报刊了，但是因为总经理的那句吩咐，他们谁都未曾去动那个顶层上的信封，以至于信封上渐渐落满了尘土。

终于有一天，这位小伙子实在忍不住好奇心打开了那个信封：里面竟是一份销售经理的任职书！而且上面标明：这份任职书的主人，就是首先打开这封信的人。

正当众人们既嫉妒又迷惑，同时还在为这位小伙子的盲行担心时，总经理笑眯眯地走了过来："销售是最需要创造力的工作，我一直在等着你这位敢于突破既定规则的人。"

就这样，小伙子成了销售经理，最终，他真的没让上司失望。

大道理 成功从不曾对任何人封口，但人们却往往被无形的封口挡在门外，至于你能不能收获成功，就看你是不是有勇气伸出打破既定条条框框的手。

14. 竞选总经理

某大公司正在招聘总经理，这个职位基本年薪就有 30 万，再加上奖金、绩效工资以及偶尔的外快，一年不下 50 万呢！因此，无论是公司内部人员还是正在求职的人们，都纷纷用热切的目光盯住了这块肥肉。

经过一系列的角逐之后，两位优秀人物脱颖而出：一个是已经在本公司供职 8 年之久，成绩优秀的销售经理；另一个是刚从某大型国企辞职，经验相当丰富的技术人员。

相比之下，前者要比后者条件优胜一些，前者自己也这么认为。所以，当后者积极奔走于各个部门之间，为竞选成功做大力宣传时，前者却不以为然地笑着坐在自己的办公室里：哼，忙也是白忙活！我在公司里待了这么多年，可谓是大功臣一个。再说了，我的业绩大伙都是看在眼里的，就凭你一个刚从国企退下来的小技术工，还想跟我竞争！

竞选的时间到了，前者从以往的业绩出发证明了自己的能力之突出，而后者则没有直接证明自己的能力，只是拿出了一套详细的企业未来发展方案。结果，后者赢了。

“满足于过去的成绩，就相当于给自己发了一条‘停止前进’的命令。”公司总裁解释说。

大道理 沾沾自喜吃老本，只会让人在不知不觉中放慢前进的脚步。须知未来远比过去重要，与其牢牢记住过去，不如积极创造未来。

15. 忍无可忍仍需忍

这是一群前来应聘水手的年轻人，公司给他们分配了一个令人费解的任务：把一个箱子搬到甲板上去，然后再搬回来，然后再搬过去，然后再搬回来……来回搬了几趟之后，坐在岸边的面试官依然不厌其烦地挥着手：“再搬过去”、“再搬回来”……

终于，这群年轻人中的一部分人无法忍受了，甚至有人破口大骂起来：你们简直就是污辱我们的人格。但是不管他们怎么说，岸上的面试官都面无表情，除了那简单的 8 个字之外，他们一个字也不多说。愤怒的年轻人纷纷扔掉箱子，转身离去。一个小时之后，原来的几十个人只剩下一个人了，他虽然满头大汗，却依然迈着沉重的步子挪动那只箱子。

面试官挥挥手：“你停一下吧，你能告诉我们你原来是做什么的吗？”

“哦，这可不太好说，我干过很多种活儿，吃过很多苦。”年轻人答道。

“原来是这样，你很棒，你被录用了。我们之所以出这道题目，是为了测试大家的忍耐性。在海上航行，有许多忍无可忍的极限挑战，如果没有这股韧劲儿，是很难做好水手的。”面试官解释道。果然，十几年后，这位优秀的年轻人成了船长。

大道理 吃得苦中苦，方为人上人。虽然成就事业并不以首先历经折磨为前提，但是首先历经折磨者一定比其他人更具成功的潜质。

16. 研究生与大专生

研究生方成和大专生安如同时被招聘进某公司做运输管理工作，因为深知这个工作的来之不易，两个人都很敬业和负责。也许，他们心里都明白：这个职位其实只需要一个人，之所以让他们俩都留下，目的是为了“择优而取”。

不过，敬业归敬业，方成的心理压力并不大，他想自己好歹是个研究生，怎么着也比一个大专生强，就算单凭学历，自己也要比安如有优势。所以，他不求有功，但求无过，每天都按部就班、认认真真地完成经理交办的各项任务。他认为，只要试用期期间自己不出什么差错，就毫无疑问地能赢得这场比赛。

而安如跟方成的心思不一样，他是“不但求无过，还要求有功”，所以每天都会“不安分”地去做一些其他的工作，比如分析同一区域各大客户订货量的变化，记录运输途中的滞期现象，搜集周边城市的路况信息，甚至近期的天气预报情况等等，并把这些资料及时地送给经理参阅，以便他能更好地调配车辆。就因为这些资料，经理最近一段时间的工作相当顺利。

3个月试用期过去了，满有把握的方成落选了，大专生安如却成功转正了。

大道理 手握高文凭却吃不上饭，这种情况并不少见，因为文凭是一个人知识积累的证明，却不是他发展潜力和解决实际问题能力的标志。

17. 你在为谁工作

他出生在美国乡村，由于家中一贫如洗，他只接受过很短的学校教育。15 岁那年，为了养家糊口，他不得不远离家乡到一个山村里去给人做马夫。但尽管如此，他依然雄心勃勃，无时不刻不在寻找着发展的机会。

3 年之后，已经成长为热血青年的他来到了钢铁大王卡内基所属的一个建筑工地打工。一踏进这个工地，他就下定了要做同事中最优秀者的决心，所以当众人抱怨工作辛苦或者因为薪水太低而怠工时，他始终沉默不语，只是一边积累着工作经验，一边自学着建筑知识。

每天晚上，当同伴们聚在一起闲聊时，他总是独自躲进角落里看书。终于有一天，这种情况被前来检查工作的经理看到了。经理看了看他手中的书，又翻了翻他的笔记本，什么都没说就转身走了。但是第二天，经理秘书却过来请他去经理办公室一趟。

“你学那些东西干什么?”经理问他。

“我想我们公司并不缺少打工者，缺少的是既有工作经验又有专业知识的技术人员或管理者，对吗?”他胸有成竹地答道。

果然，经理被他这句话吸引了，不久之后，他就被提升做了技师。

看到这种情况，其他同伴半是羡慕半是嫉妒地挖苦他说：“每天就挣那么点钱，你居然还有心思搞其他东西。”

“我不光是在为老板打工，更不单单是为了赚钱，我是在为自己的梦想打工，为自己的远大前程打工。我要在业绩中提升自己——只有让自己的工作所产生的价值远远超过所得的薪水，我们才可能得到重用，获得机遇。”他回复对方道。

凭着这种信念，他一步步地升到了总工程师的职位，25 岁那年，他又做了这家建筑公司的总经理。

再后来，因为有着超人的工作热情和管理才能，他被卡内基钢铁公司的合伙人琼斯看中了。两年之后，由于琼斯在一次事故中丧生，身为副手的他水到渠成地接任了厂长一职。又过了几年，他被卡内基直接任命为钢铁公司的董事长。

最后，他终于实现了自己最初的梦想，从打工者飞跃到创业者，独自筹资建立了自己的企业——伯利恒钢铁公司，而他，就是这家大型企业的领头人——齐瓦勃。

大道理 如果你认为自己是在为别人工作，那么你永远只能为别人工作；如果你认为自己是在为自己工作，那么终有一天，你会真的为自己工作。

18. 无可奉告

小刘下岗了，虽然他技术一流、经验丰富，可是在一批批的新人面前，他还是感觉到了力不从心。想想光靠妻子做小学老师那点工资根本没法养家糊口，小刘决定再找一份工作。

很意外地，小刘看到小城里唯一的那家外资企业正在招聘技术经理，而且薪水丰厚，欣喜若狂的他赶紧到现场报了名。一周之后，那家企业的电话来了，让他去参加面试和笔试。

面试还算顺利，接下来就是笔试了。笔试卷共分 2 页，第 1 页都是一些技术上的问题，做过多年技术员的小刘自然是答得得心应手。可是没想到，第 2 页上的问题却让他左右为难，倒不是题目有多难，而是答案没法写，谁让它把题目出成这样呢："请详细描述你原单位的经营策略及致胜秘诀，包括一些技术上的独到之处。"

小刘的心里翻江倒海，他极其矛盾，原来的厂子虽然惨淡，却是 100 多口人的指望，自己要出卖它吗？要吗？最后，小刘终于气鼓鼓地写下了四个字："无可奉告"，然后扬长而去，从心里放弃了这诱人的机会。

但是出乎意料的是，3 天之后，小刘竟然接到了录用的电话！

大道理 保守公司秘密是最基本的职业道德，想以此来谋取私利的人必然不会有什么好下场，要知道公司比你更明白：既然你可以出卖别人，也完全可能出卖自己。

19. 只想跑过你

某人正坐在家里看《动物世界》，上面讲大海里有一种极为聪明的鱼，这种鱼平常游玩时总是喜欢跟另一种鱼在一起，因为那种鱼比较笨，游泳速度也比它们慢。这样，当遇到鲨鱼时，它们便能用那种鱼作掩护，在鲨鱼停下来吞食那种鱼时保证自己全身而退。

“真聪明!”这个人赞叹道。

可是他万万没想到，前几天看过的电视节目会在现实生活中用上。那天傍晚，他去附近的树林里散步，遇到了一个伐木工人，于是两个人便攀谈起来，正当他们兴致勃勃地聊家常时，“嗷”的一声，一只体形肥大的黑熊出现了。那只熊一看就是好几天没吃东西的样子，双眼放着凶光向他们扑过来。

这两个人都吓坏了，伐木工人打着哆嗦，一个劲儿地重复“上天保佑，上天保佑”。正在这时，这个人突然想起了那天看的《动物世界》里的那种聪明的鱼，心里顿时有了主意，于是爬起来便迅速向前跑去。伐木工人在后面紧紧地追着，一边追一边喊：“你跑那么快干嘛?再快能快过那头饿熊?”

“不，”这个人一边跑一边说道，“我不是想跑过熊，只是想跑过你。”

大道理 在残酷的生存竞争中，知道谁是自己真正的竞争对手非常关键。很多时候，我们无需“以身试法”，直接去挑战极为强势的敌人，而只需要比其他同事强一点。

20. 狐狸与狼

狼因为时常奉上新鲜猎物而备受万兽之王老虎的宠爱，当掌管大权的大象去世后，狼如愿以偿地坐上了那个宝座。它的对手狐狸不甘失败，想出了一个把狼搞下台的坏主意。

第二天，狐狸打扮一新手拎礼品登门拜访狼："狼大哥啊，以前我对您多有得罪，今天是特地来给您道歉的，还望您大人大量，不跟我计较。"

看到狐狸这副德行，狼得意极了，心想有权就是好，不说话也威风。为了给自己减少一个对手，狼"大仁大义"地原谅了狐狸，并在狐狸的恳求之下收下了那些礼品。

从这以后，狐狸每隔一段时间便来拜访狼一次，每次都会给狼带点新鲜的玩意儿。几个月之后，在狐狸的请求下，拿人手短的狼不得不利用手中的权力给狐狸办了一点小事儿。结果，从这以后，狐狸的礼品越来越多，要求也越来越过分。

终于有一天，狐狸提出了一个极为危险的请求，当狼生气地摇头拒绝时，狐狸拿出了一个本子，把上面记录的关于狼收礼、滥用职权等等的细节都念了出来，并扬言说如果你不干，我就把这个本子交给老虎。

没办法，狼只好服软，但是没等它"帮"完这个忙，就东窗事发被捕入狱了。

大道理 财权美色不是鸡肋，而是毒品，一旦有第一次，便会难以拒绝地有第二次。如此一来，当事者早晚会陷入身不由己的困境，以至人财两空。

21. 老鼠和狗

这窝老鼠寄居在这户人家已经两年多了，由于吃喝不愁，它的家族已经由原来的几只发展到了几十只。

这天，鼠王正在呼呼大睡，一阵香味把它弄醒了，"是烤肉！"鼠王大喜道，于是它立刻派手下去给它偷肉吃。可是还不到一分钟，小老鼠们便屁滚尿流地回来了："不好了，大王，那盆诱人的烤肉旁趴了一只又大又凶的狗！差点儿吓死我们！"鼠王一听，便吩咐手下在狗离开的时候再偷。

但没想到这只忠诚的狗就是不走，看看已经饿了三天三夜的老鼠们马上就要支撑不住，鼠王思索半天，终于想出了一个办法。

到了晚上，鼠王带着鼠军雄纠纠、气昂昂地出发了。它们来到烤肉盆旁，悄悄地往外拽那块最大的肉。

窸窸窣窣的声音立刻引起了大黄狗的警觉，它抬头看看肉盆："谁?"

"是我们，鼠家族，"鼠王清清嗓子，努力镇定自若地说道，"亲爱的狗大王，如果您能不声张，我们可以弄几块最好的肉给您，咱们共享美味。"

没想到狗立刻严词拒绝道："你们都给我滚！要是主人发现肉少了，一定会怀疑是我偷吃的，这样的话，明晚我就会成为这盆里的肉了！"

大道理 贪图自己所掌控或守护的他人财物，最终必然会连本带利地付出代价。因此，监守自盗不过是一种见识短浅的愚蠢行为。

22. 企业如树，员工如猴

在西方，流传着一个关于企业和员工的比喻：企业如树，员工如猴。

企业就像一棵树，而树上的猴子就像企业中的员工。由于攀爬速度不同，树的每一层都有猴子。上面的猴子往下看时，看到的是下面猴子充满希望的笑脸；而下面的猴子往上看时，看到的则是上面猴子的屁股。

倘若树上有果子，先上去的猴子总是能最先吃到。而下面的猴子呢，得到的不是上面猴子剩下的枯枝苦果，就是它们的屎。

为了尽快地往上爬，下面的猴子总是得尽量贴紧上面猴子的屁股。而能爬多高，当然也就取决于它贴屁股的技术与选择贴的对象。但是尽管如此，如果它往上爬的步伐快了些，有可能让上面的猴子受到威胁时，它还是会挨踹，甚至会被直接踹到地上去。这样，上层的猴子也就得时刻提防一种情况：下面的欲取代者也许会趁它不注意时把它搞下台。这种担心，连最顶层不用贴屁股的猴子都难以避免。

在树陷入困境，不能承受这么多猴子时，为了保命，上层的猴子便会折枝打下面的猴子，以把它们尽量驱赶到地上去。而树枝摇晃时掉下来的果子，也便是对那些不幸的猴子的一种补偿。

大道理 如果往上爬实在不容易，那就从一开始便站在树尖上吧——毕竟，你可以选择爬别人的树，也可以根据自己的能力再种一棵树。

23. 我哪有工夫磨斧子

新来的小学徒跟师傅学艺的第一天，师父吩咐他去砍树。小家伙勤勤恳恳地撅着屁股砍了一天，一共砍来了 7 棵树。在所有砍树的学徒中他是第一，于是师傅夸了他一顿："一看就知道你是个勤劳的好孩子，继续努力！"

听到师傅的夸奖，小学徒大受鼓舞，第二天便更加精神抖擞地干起来，结果一天下来，他只砍了 5 棵树，在砍树的学徒中他只占到了第四。晚上，由于没听到师傅的称赞，小学徒颇感委屈，要知道自己可是比昨天还卖力呢，就是不知道为什么数量不及昨天。

第三天，小家伙更加挥汗如雨了，但是尽管加倍努力，砍倒的树却在急剧减少，一整天下来他只砍倒了 3 棵树，所以名次排到了最后。

他感觉惭愧极了，但是又迷惑不解，便跑去问师傅："师父，我这两天比第一天卖力多了，为什么树却越砍越少呢？"

师傅想了想，便问他道："你是哪天磨的斧子？"

小学徒瞪大眼睛："磨斧子？我整天忙成这样，哪还有闲工夫磨斧子！"

师傅叹了口气，拿过他的斧子磨起来，不一会儿，斧子便又亮又快了。

结果第四天，还不到半天，小学徒就轻轻松松地砍倒了 4 棵树。

大道理 勤奋、努力非常重要，但适应工作需要的知识、技能更加重要。只有及时充电、磨刀，你才能保证自己一直名列前茅，至少是不被落下。

24. 傻瓜工程师

在东北滨洲，有许多穿过小兴安岭的隧道，在那条最长的隧道所在的山顶上，有块方方的石碑，下面长眠着一位异国工程师。她是这条隧道的首席设计者，由于出了点意外，这隧道未能按照预定时间打通，她遂引咎自杀，希望以此来抵消自己的耻辱与失职。

这是我在某课堂上讲的一个故事，当时下面坐的有政府官员、企业老总还有普通大学生。我话音刚落，他们发出了一致的惋惜声，接着他们便讨论开了：

"这工程师真傻，是'由于意外'又不是她的原因，她自杀干嘛啊！"

"神仙也不可能把什么都预算得一点不差啊。"

"傻死了，就算追究责任，也不应该由她一个人来承担啊？"

…………

10分钟后，课堂重新恢复了安静，我接着说道："遇到这种事，我们中国人总是习惯于找'客观原因'；即使找'主观原因'，也总会尽可能地把别人拉进来，因为我们太喜欢为自己的失误开脱了。所以，即便出现天大的责任事故，我们也不会引咎自杀，甚至连辞职谢罪的念头都不会有。这位异国女性的鲜血，就像一面镜子，让我们看到了自己灵魂的暗处。"

这时我注意到，下面的人几乎都低下了头。

大道理 在某些事情上，我们必须面对现实，承认自己的落后，而且是物质财富与精神境界的双重落后。相应地，我们的学习也应当兼顾这两方面。

25. 面试

这家大公司正以诱人的高薪聘请对外经理，外国语大学毕业的王丹过五关斩六将终于进入了最后一轮复试。

面试开始了，总经理对他进行了长达两个小时的艰苦"盘问"，从经营方略到内部管理、从客户服务到新产品开发，王丹皆对答如流。看见总经理不住地点头，王丹心中暗喜：熬了这么多年，我王丹终于有希望混上金领了！

“好了。”总经理说道，“最后一个问题是：我面前有两杯水，为了害我，有人在其中一杯里放了毒药，现在，我命令你先尝一杯，告诉我你怎么办？”

王丹先是一愣：“经理，您的问题不妥。”

“你只需要说你怎么办。”总经理加重了语气。

“我知道您在试验我的忠实程度，但是很抱歉，我不会喝，因为我不会拿自己的生命开玩笑。”王丹很坚定。

经理变了脸色：“你很优秀，我很欣赏你，你应该清楚有多少人在竞争这个职位。”

“我不会喝。”王丹依然很坚定。

“好吧，”总经理犹豫了一下，“虽然你的答案并不令人满意，但鉴于你的优秀，我还是录用你。”

“很抱歉，你并不是令我满意的老板。”说完，王丹便离开了。

大道理 我们工作不仅仅是为了挣钱，更多是为了体现自身价值和发展自己。可是公司如人，永远不会有完美之说，但至少，它不能是个让人格扭曲的环境。否则，除了金钱，我们将一无所得，而且还有可能失去很多。

26. 第九次敲门

由于公司倒闭，张玲失业了，她的生活一下子陷入了艰难。在焦急地寻觅了将近一个月之后，张玲终于盼来了某家公司的面试电话。

面试那天，张玲特意换了身精神的职业装，她决心无论如何都要拿下这份工作。9 点钟，她准时到达了那家公司。

“张玲。”秘书小姐叫到了她的名字。

她深吸了一口气，来到经理室门前，轻轻地敲了两下。

“进来。”里面有人答道。

于是她推门进去了。经理上上下下地打量了她一下，然后面无表情地说道："请你出去，重新敲一次门。"

张玲当时就愣住了，但是不管怎么着，她还是听从了吩咐，又重新敲了一次门，然后推门进去。

"这一次你依然没有敲好，再来一次吧。"经理看着窗外说道。

没办法，张玲又照做了一次。

但是没等她的双脚完全踏进办公室，经理又说道："这次还不行，请你再来一次。"

张玲的心当时都凉了，她不知道经理为什么要这么折腾她，所以她忍不住问了一句："经理，请问怎么敲门才算可以?"

经理头都没抬："请你出去，再敲一次吧。"

张玲气呼呼地走出门来，她差点就要放弃这次机会了——这哪是面试，外面这么多人看着，你简直就是在侮辱我的人格！她心想。

但是失业的窘境最终把她拉了回来，"不行，说什么我也要坚持下去，哪怕敲上一百次门！我倒要看看他到底想怎样！"张玲自言自语道。

不知不觉，张玲已经敲过八次门了。

可是经理还在机械地重复着："请你出去，再敲一次。"

张玲万万没想到，这第九次她敲开的竟然是一扇成功之门。她刚刚踏进屋里，里间所有的领导便都出来给她鼓掌叫起了好。

"你被录取了。"经理微笑着说道，一点也不像刚才不近人情的样子。

"这，这是怎么回事?"张玲糊涂了。

"我来告诉你吧，"经理敲敲桌子说道，"我们看过你的简历，知道你有客服经验，而且做得还不错。我唯一担心的就是你耐心不够，因为咱们有些客户的确是很难缠。现在，我完全不用担心了，九次敲门，足够证明你的耐心，所以，你被录取了。"

大道理 生活或工作中的一些苛责或难堪总是让人不舒服的，但是它们并非毫无价值，如果你肯用耐心去化解，用理性去分析，它也许就是你走向成功的垫脚石。

27. 老板录用谁

朱涛和大成都是这家动画公司的新员工，其实公司并不需要两个人，只不过他们看起来不相上下，老板一时难以取舍，所以干脆都招进来，想试用后再决定。

由于刚从大学毕业，朱涛见了谁都客客气气的。其实他的作品大家公认很棒，虽然因为没有经验，思路略显不佳，但是画面的整体效果却非常好，都说他的作品跟他的人一样整齐、明朗。的确，他留着寸头、穿白衬衫打领带的形象给人的第一感觉就是“干净、清爽”，但令他郁闷的是大成常常因此讥笑他“没有艺术气息”、“像从农村刚出来混的”。

那么，大成是怎么表现自己的“艺术气息”的呢？——进公司第二天，他就剃了个大光头，连眉毛都剃掉了。平常上班，他最喜欢穿的就是那件样子非常夸张的牛仔服，脚上是一双嬉皮士式的长尖皮鞋。平日说话，他的声音总是嗲嗲的，好像刚从香港来的明星。但是尽管大家为此都非常讨厌他，却不得不佩服他做动画的创意。也正因如此，他多多少少有点恃才放狂。

试用期结束时，接到转正通知的是朱涛，尽管事实表明大成的能力略胜一筹。“我没必要因为一个人得罪所有员工。”老板说。

大道理 谁都有权利选择自己的个性和生活方式，但在工作场合，我们必须学会得体处世，否则，付出代价的肯定不会是别人。

28. 上帝偏爱我

在日本，流传着一个关于当今政府邮政大臣野田圣子的故事。

那一年，刚刚毕业的野田圣子找到了她的第一份工作——在东京帝国酒店当服务员。但是她万万没想到，酒店经理分配给她的竟是洗厕所！

细皮嫩肉、喜爱干净的圣子听说这一安排时，当场就哭了起来。的确，这是一个没人爱干的活，不说视觉、嗅觉以及体力，光心理上的压力就让人难以承受。

怎么办？圣子一遍遍地问着自己，但最后她还是一抹眼泪接受了这个安排：这是我人生的第一步，我一定要做个最出色的人！

就这样，她一直自信、振奋地洗着厕所。她相信，只要足够努力，总有一天她能出色到让上司对她心服口服的地步。为了证明自己洗的厕所的确达到了酒店所要求的"光洁如新"的程度，她不止一次当着客人的面喝过厕水。

正因为有过这段经历，圣子很漂亮地迈好了她人生的第一步，并由此开始了自己不断成功的历程。

多年后，当记者采访她时，她饱含深情地讲了这个故事，并在最后加了一句迅速传遍全世界的话：上帝偏爱我，所以让我洗厕所。

大道理 问题不在于你干什么，而在于你怎么干。无论什么样的职业，都有一个明确的共同内涵和精神要求：敬业。

29. 采访大法官

布莱迪刚刚毕业，对他来说，能应聘到这家大型报社做记者简直就是个奇迹。但一想到以后要跟大量陌生的人打交道，腼腆的他就很发愁。

可是不管如何，该来的还是会来。某天早晨，布莱迪刚刚到报社，主任便把他叫了进去："今天你去采访一下大法官布兰斯，请他就刚刚结束的XX案发表一下个人意见。"主编头都不抬地安排道。布莱迪吃了一惊，结结巴巴地说道："这，这怎么可能，他又不认识我，他会见我吗？"主任皱起了眉头："那是你的事，布莱迪。"

布莱迪回到座位上，一筹莫展，一个同事过来问怎么回事，他便照实说了。只见那个同事顺手拿起了电话："你好，我是《XX报》的记者布莱迪，我想采访一下布兰斯法官，请问今天可以吗？"听到对方答话，同事说道："好的，下午两点钟，我会准时到。"然后他放下电话，拍拍布莱迪的肩膀："下午两点，记住了？"布莱迪当时就目瞪口呆。

多年后，当再次谈起这件事时，他感叹道："从那时起，我学会了开门见山的说话办事方式，很管用。看来，很多时候，事情并不像我们想象的那么难。"

大道理 不要被自己的想象吓住，开始行动便是。要知道很多事情都是一旦做起来，就会发现它根本没有我们想象中那么难。

30. 副总统之路

19世纪末，美国出了个声誉卓越的副总统叫莫尔。在当副总统之前，莫尔是个银行家，再之前，他是个布匹商。从一个小小的布匹商到银行家再到副总统，莫尔的成功之路何以如此顺利而且如此迅速呢？并且，他为何在布匹生意最好的时候转行到金融业呢？

原来，虽然布匹生意极为成功，莫尔总觉得自己的才华并未完全发挥出来。偶然地，他从爱默尔写的一本书中发现了一句很好的话："如果拥有一种大家需要的才能或特长，不管这个人处在什么环境或什么角落，总有一天他会被人发现。"这句话深深打动了莫尔，他想，自己就是一个这样的人，但为什么要等别人来发现，而不是自己走出去站在大家面前呢？于是，他决定放弃如日中天的布匹生意。

经过认真分析，莫尔选定了当时极为重要的金融业，稳妥可靠地经营起来。由于他一向声誉良好，许多商人和企业都愿意找他存贷款。没过多久，他便成了美国金融业的巨头之一。

再后来，凭着出众的才华和在金融业的地位，他赢得了美国人民极高的支持率，最终成功竞选为美国副总统。

大道理 虽然转行存在一定的风险，但也可能是改变命运的最佳契机，因为只有从事最能发挥你才华的职业，你才会最容易成功。而能否因此而成功，关键在于你是否能给自己一个准确的定位。

31. 宠物狗和驴子

主人养了一头毛驴，还养了一只宠物狗。

平日里，每当主人回家，宠物狗便会飞奔上去，又伸舌头又摇尾巴，而主人也总会高兴地抱起小狗，一边抚摸它柔软的皮毛，一边像对待儿子似的问它有没有淘气。吃饭时，主人也总会特意挑出几块肉骨头来给它吃。

看到小狗与主人的亲热状以及它日日受款待的得意劲儿，驴子心里真是委屈极了，心想同样是动物，凭什么我整天埋头苦干还得经常挨打，而它倒悠闲自在，卖卖乖就什么都有了！不行，看来自己也要想办法讨好一下主人。

驴子正想着，主人推门进来了。它一见，立刻学着小狗的样子大叫着迎了上去，一边使劲儿甩着尾巴，一边伸出舌头去舔主人的脸。主人大惊，忙不迭地往屋里跑去，可是屋门还没来得及关上，驴子便随着他一块跑进来了。

在屋里，驴子像小狗似的蹦来蹦去，还把两只前蹄抬起搭在惊恐不已的主人的肩上。结果，那些家具不但被它踏了个稀巴烂，主人还被他吓得大病了一场。

几天之后，驴子还没有为自己的行为得意够，已经恢复健康的主人便带着拿刀的屠夫进来了。

大道理 不同的职位有不同的要求，守好自己的本分，尽到自己的职责，这是博得老板认可和欣赏的最佳途径。倘若不顾身份，盲目模仿别人，到头来很可能只会弄巧成拙，害了自己。

32. 规矩

在约翰工作的集团公司附近，有一家汽车经销部。每年，约翰都会从这家经销部为公司购入四五辆汽车，而他自己也会每隔几年都从这里买辆新车，因此，他跟这户商家上上下下的人员都非常熟悉，彼此之间从未发生过不愉快的事情。可是有一天，因为修车，他却跟一位接待小姐发生了冲突。

上班前，约翰把车送到了这里，下班时，他来取车。这时，负责接待的小姐请她付清修理费。

约翰不屑地瞥了小姐一眼："我先试车，看看你们是不是真的给我修好了。"

"可以，不过，您要首先付清修理费，才能把车开走。"接待小姐重复道。

约翰几乎火了："你难道不认识我？你还想不想在这里干了，我告诉你我跟你们老板很熟的！"

"正因为我想继续在这里干下去，所以才不敢破坏公司的规矩。"小姐坚持着。

"少拿你们的规矩来规范我！今天我必须把车开走！"约翰生气地冲小姐喊道。

"十分抱歉，先生，这是不可以的。"小姐职业性地微笑着，却毫不通融。

没办法，怒气冲冲的约翰只好打电话给这家经销商专门为他指派的跟踪服务人员。对方听清原委以后，向约翰道了歉，表示一定会处理好此事，并说可以代约翰支付取车未成的路费，把车亲自交给他。

然而出人意料的是，这家经销商从此再没有和约翰做过一笔生意，还断言："约翰在这家公司算是待到头了。"

果然，没过多久，约翰就因为监守自盗而被炒了鱿鱼。众人纷纷佩服经销商的先见之明，经销商却淡淡一笑道："这很明显嘛，因为他已经变成了一个不讲规矩的人。”

大道理 “没有规矩，不成方圆”，这不仅仅是一条社会规范，更是一条人生铁律。当一个人不再讲究生活或工作的规矩时，他也就游走在危险的边缘了。

33. 安分守己

有一个家财万贯的富翁以享受美食为人间最大的乐事，经常三天一小宴、五天一大宴地宴请宾客，所以他家的厨房又大又宽，而且人手极多。当然，由于管家能干，这么多人并不显乱，而是各负其责，秩序井然，该挑水的挑水，该洗菜的洗菜，包括煮饭的、烧柴的、切肉的等等都是各司其职。

可是，由于厨房的工人们天天都做着相同的事情，日子一久大家便都开始烦了。于是，他们瞒着管家，偷偷地商量互相换一换活儿干，因为谁都觉得别人的工作新鲜又轻松。就这样，原来挑水的变成了洗菜的，洗菜的变成了切菜的，切菜的变成了煮饭的……

互相交换工作后，大家都兴奋地开始了新一天的忙碌。恰逢这天富翁请了几位老朋友到家里小聚，于是谁都想大显身手，证明自己样样能行。但是一个小时过去了，两个小时过去了……富翁安排的酒席始终不见上来。管家急了，赶紧跑到厨房去催，可是他刚一进厨房，便觉得大事不妙。只见厨房里人们皆手忙脚乱，每个职位似乎都换了新人。切菜的正捂着被刀切破的手指喊“哎哟”；烧火的正奋力把火吹大，却引来满屋子的烟雾；煮饭的又在大呼小叫“米饭糊了”……

自然，结果是他们不但没得到表扬，还都被臭骂了一顿，从此再不敢这样胡闹了。

大道理 各司其职、各负其责又互相合作，事情才可能做得圆满；倘若异想天开，都去做超出自身能力的事，最后只会让事情一团糟，误人误己。

34. 跳棋之道

王先生能力颇高，又勤恳敬业，可是却久久得不到升迁。为此，他一直很郁闷："有人跟上司关系不好才不被提拔，我跟上司关系这么好，怎么也不管用呢？"

某个周日，王先生跟朋友老李一起下跳棋，老李棋艺精湛，下得他接二连三地输。于是他便暗暗地耍了个花招儿——巧妙地给自己搭桥，这样，他便可以"自力更生"地连跳好几步了。眼看着棋局大有起色，王先生顿时得意洋洋，不想一来二去，最后还是老李赢了。

王先生实在是不解，便问老李道："我一直在很努力地给自己搭桥，为什么还是下不过你呢？"

老李哈哈笑道："我早就看出来了，但是你却没发现我的花招——给你拆桥！你搭得再好，我给你拆掉一颗，其他的就都不管用了。要不说啊，想赢棋你不但要学会搭桥，还要学会守桥，也就是防止别人拆你的桥，最关键的是还要适时拆一拆别人的桥，这样，你才可能占尽先机，杀个落花流水。"

王先生听后，当场怔住，他似乎明白了自己在职场上一直不得意的原因。从此之后，他便以跳棋之道来规范自己在工作中的各种关系，结果不到半年，他便升了副经理，而且势如破竹，无人能挡。

大道理 当今社会，竞争无处不在，要想在激烈的竞争中一举胜出，我们不但要学会为自己搭桥、守护住自己的桥，还要学会适时拆除竞争对手的桥。只有这样，我们才可能顺利走到对岸。

35. 不可替代的助手

教授聘用了一位年轻女孩做助手，替他准备平日的授课资料，拆阅、回复信件，料理外地讲座的各种事宜。

偶然有一天，女孩在某人给教授的来信中看到了这样一句话："老师，我一直深深地记着你说过的一句话：唯一的限制就是你自己脑子里所设立的那个限制。这句话为我带来了无限的勇气和机会……"看到这里，女孩深吸了一口气，她也感觉到了这句话的力量，并让一种东西在自己的心中慢慢地蔓延开来了。

从此之后，几乎每天晚上，她都拼命地加着班，不计报酬地干着份外的工作，并且从来不在意教授是否注意到了自己的努力。后来，教授办公室的一位副手辞职了，在挑选合适的人选时，教授很自然地想到这个女孩——尽管她学的并不是这个专业，可是几年的实践经验已经使她足够胜任这份工作了，最重要的是，她从来都是一个尽职尽责、不计回报的好助手。

就这样，女孩水到渠成地获得了提升，她的薪水也比过去翻了一番。故事到这里并没有结束，由于这位年轻女孩的能力如此突出，而且如此敬业，很多与教授有过接触的大公司高层管理人员都非常看好她，因此一次又一次力邀她加入自己的公司，不仅给她提供了非常好的职位，还许诺了她令人艳羡的高薪。但是女孩最终也没有去，这倒不是因为她清高或"不事二主"，而是因为教授给她开出的工资比那些公司还高——没办法，谁让她这么不可替代呢？为了留住她，教授已经把她的工资提了四次了，相当于原来的五倍之多！

大道理 不断提升自己的能力，让自己变得不可替代，你就离快速升值的发展空间不远了。这不仅是职场上的一大生存战略，也是每一位想成功的人必须明白的道理。

36. 揣在怀里的剪刀

某天，我应老同学之约参加他主持的他们公司一个项目的剪彩仪式。那天的仪式原定由市里的五位领导上台剪彩，可是当那五位被请上台时，他们老总才突然发现台下有一位临时参加的级别相当高的老领导，于是忙不迭地把他也请上台来。

这下可坏了，我当时心想，这整个仪式都由我同学来主持，倘若他没有多准备一把剪刀的话，岂不是让领导大出洋相？这样一来，他以后的日子还能好过得了吗？

但是说时迟那时快，我同学竟然当场从口袋里拿出了一把大剪刀递了过去，六位领导在鞭炮声中喜气洋洋地剪完了彩，台上台下一片欢喜。

这真是太精彩了，我叹道。仪式结束后，我悄悄地拉过老同学："你怎么知道你的老总还会请一位领导上去？"

没想到他当时就愣了："我怎么知道？我不知道啊。"

这下轮到我愣了："可是，如果你不知道，你怎么会多准备一把剪刀呢？"

"哎，你是说这个呀，"我同学笑道，"这有什么好奇怪的，就算他再叫上一个来，我照样能变出剪刀来。"

"为什么？"我大惑不解地问道。

"为什么？"同学说道，"因为在外企干事，出了问题从来都是下属的错，这让我养成了一个习惯：该备一份的，我就备两份三份，甚至更多。这就是我爬到今天高薪职位上的原因啊。"同学嘻嘻哈哈地说道，看样子很是轻松。

直到那一刻，我才明白这位昔日里同我一样丢三落四的同学何以有了今天的风光：他不但拥有一份令人羡慕的高薪工作，还把老婆孩子都迁到了北京生活，这在我所有的同学中可是独一个。看来，钢铁是怎么炼成的，应该是有多种答案的。

大道理 愿意并且能够给别人提供方便和补台的人，也就相当于给自己提供了方便，并为自己日后的起飞搭建起了平台——别人的需要，不正是自己生存与发展的条件吗?

37. 一份早餐的代价

今天是周末，艳阳天大酒店的经理李冰被安排了加班。大概9点钟，她来到了办公室，吃掉随便放在手袋里的一个苹果之后，她还是感觉有些饿。

“要不，我下去吃点吧。”李冰看着窗外想，“反正现在还没到午餐的时间，而且周末很少有人来谈生意，我用十几分钟时间吃点早餐也耽误不了什么事的。”想到这里，她提起手袋走了出去。

15分钟之后，她回来了，办公室里安静得很，一切似乎都非常正常。可是她不知道，一桩百万美元的生意就在她离开的这十几分钟里，旁落他人之手了，因为对方打过两次电话之后，她这边还是无人接听。

几个月之后，一家大型跨国公司在市内另一家大酒店里召开了为期15天的销售年会，那家酒店无论从规模、口碑还是历史上都要比艳阳天大酒店差那么一点点，这让艳阳天的老总不能释怀：这么大一个公司，是不可能出不起这份钱的，可是它为什么就不选择我艳阳天呢？后来，经过多方打听，老总终于明白了其中的原因，非常生气的他二话没说，就把已经跟了他8年的能力非凡的李冰做了辞退处理。

接下来的几年中，那个跨国公司一直在跟那一家大酒店愉快地合作着，数百万美元原本应属于艳阳天的利润也很自然地流入了那一家老总的腰包。最关键的是，由于世界各方贵宾的来临，那家本来不怎么起眼的酒店迅速声名鹊起了，并最终成了艳阳天最大的竞争对手。

这，就是一份早餐的代价。

大道理 谁都不可能知道机会会在什么时候降临，事情会在什么时候发生。应对的唯一办法就是该干什么干什么，百分之百地守卫好你的工作，尽到你的职责。

38. 如何毛遂自荐

小张、小李和小王是同事，3个人都是颇具才华的高材生。他们在同一时期进入了这家大公司，经过一年的磨炼之后，他们都感觉自己应该被提拔到更好的位子上。

小张想，我满腔抱负，可惜没有得到上级的赏识，如果哪天能见到老总的话，我一定会想办法展示一下自己的才干，让他一眼就相中我。

小李跟小张的想法差不多，只是他更进一步，想办法同秘书小姐套近乎，打听到了老总上下班的时间，然后据此计算出他大概何时进电梯。然后，小李就一直把着这个点上楼，希望能遇到老总，有机会跟他打个招呼。

而小王则比小李更进了一步，他想办法详细了解了老总的毕业院校、创业历史和奋斗轶事，甚至连他的人际风格与各种喜好都掌握了。除此之外，他还精心设计了几句简单却有分量的开场白，并且在算好的时间里去乘坐电梯。跟老总打过几次招呼之后，终于有一天，小王找到了跟老总长谈的机会，结果之后不久，他就争取到了更好的职位。

大道理 虽然机会青睐有准备的人，但准备完毕被动等待机会的到来，总不如主动出击去创造机会。否则，你或者会永远等下去，或者会在不知不觉中把机会拱手让人。

39. 所长无用

春秋时期，鲁国一位心灵手巧的青年男子靠编草鞋发了点小财，遂娶了一位擅织白绢的女子为妻。婚后，两人各展所长，生活还算美满幸福。可是没过多久，由于战乱频仍，两人流离失所，生活陷入了艰难。

无计可施之下，夫妇二人商量着迁到目前相对稳定的越国去，但当向友人辞行时，友人却劝阻了他们。友人这样说："别看你们都有手艺，迁到越国去，你们一定会非常贫穷的，还不如不折腾呢。"

"为什么？难道我编的草鞋穿着不舒适吗？难道我妻子织的白绢用起来不好吗？"青年男子很是不服气地问道。

"都好，"友人点头肯定道，"但是你们别忘了，草鞋，是用来穿着走路的，而越国人习惯于赤足而行；白绢，是用来做帽子的，但越国人却习惯于披头散发，顶多用一支簪子别住头发。这样一来，纵然你们的草鞋、白绢再好，到用不到的地方去，不还是得等着受穷吗？"

夫妇俩一听，顿时哑口无言，打消了搬迁的念头。

大道理 "社会需要"是我们的专长具备价值的前提，倘若脱离这个基础，再出色的技艺都将一文不值。因此，只有根据社会需要决定自己的行动、发挥自己的专长，才可能将我们的人生价值拓展到最大。

40. 一盆洗手水

曾经担任过英王爱德华八世的温莎公爵，除了轰动 20 世纪的"不爱江山爱美人"的惊人之举外，还有许多不为人知的小故事。

一次，英国王室在伦敦举行晚宴，宴请当地印度居民的首领，还是"韦尔斯太子"的温莎公爵做了主持。

宴席中，达官贵人觥筹交错，相与甚欢，气氛非常融洽。临近结束时，侍者为每一位客人端来了洗手盘，印度客人看到如此精巧干净的银制器皿，以为是喝的水，遂端起来一饮而尽。这一情景令后面的侍者大吃一惊，都不知所措地把目光投向了温莎公爵。

没想到温莎公爵丝毫不动声色，就像什么事都没有发生似的也把洗手水端起来一饮而尽，随后便又热情地招呼大家继续享用美食了。这样一来，本来要造成的尴尬局面被迅速释解了，最后宴会取得了预期的圆满成功。自然，英国国家的利益也因此得到了进一步的保证。

大道理 无论出现什么意外，你都应该镇静处之，不让你的重要客人和顾客在小事上陷入尴尬，否则作为回报，他们就会让你在大事上出丑。

41. 每桶 4 美元

许多年前，在美国标准石油公司里，有一位名不见经传的小职员叫阿基勃特。他和公司里其他数不胜数的业务员一样普通，如果不看花名册，经理会连他的名字都叫不上来。

但是，虽然并不受重视，阿基勃特依然兢兢业业、尽职尽责地干着他的推销工作，任何时候都不曾有一丝懈怠。他总是在一切可能的地方留下自己的名字和“每桶 4 美元”的字样，汽车上、家门上、衣服上甚至是各种由他签收的单据、标证上，并且给谁的回信上也不例外。久而久之，“每桶 4 美元”成了别人口中他的代号，而真名反倒没有谁再叫了。据说当时，知道“每桶 4 美元”的人比知道“阿基勃特”的人要多出成百上千倍。

公司董事长洛克菲勒知道这件事以后大为惊奇，他说：“没想到还有职员如此努力地宣传我们公司的声誉，我一定要见见他。”于是几天之后，阿基勃特就被邀请同董事长共进了一次晚餐。

再后来，洛克菲勒卸任了，在选拔接任的董事长时，他很自然地想到了“每桶 4 美元”。于是，阿基勃特顺理成章地成了标准石油公司第二任董事长。

告诉别人“我们公司的标准石油每桶 4 美元”，这本是一件人人都可以做到的小事，但实际去做的，却只有阿基勃特一个人，而且他坚定不移，乐此不疲。我们不知道在当时有多少人曾经大肆嘲笑过他，更不知道在那些人当中有多少颇具才华和能力者，只知道最后，只有阿基勃特一人成了董事长。

大道理 很多时候，除了坚持不懈地做事之外，成功并没有其他秘诀。也许有些人的成功是偶然的，但在偶然之中，一定有必然的成分。

42. 销售员与企业家

在销售界，马克绝对是个令人叫绝的人才。无论他到哪里，他的魅力都会洒遍各个角落，以至于在场的人无不心甘情愿地掏出自己所有的钱。

遇到这样的人才，公司自然不会也不敢怠慢，所以马克的工资一涨再涨，加上业绩提成，他的年薪甚至一度超过了总经理。

随着腰包越来越鼓，马克开始考虑其他事情：虽然收入丰厚，可是难道自己甘心做一辈子销售员吗？当然不甘心，自己要创业，要做自己的老板！

想到做到，马克毅然决然地辞了职，开始创业。可是他怎么也没想到，曾经业绩惊人、魅力无限的自己竟然会连一个十几人的小公司也管理不好，最终，刚开业不到半年，由于亏空严重他不得不宣布破产了。此后的数十年中，从不服输的马克一而再、再而三地组建自己的公司，可是每次都以破产告终。

这到底是为什么呢？马克百思不得其解。一直到国际管理大师托马斯出现，这个谜团才被彻底解开：

原来，只有做自己最擅长的事情时，我们做到最好的几率才最大。而马克最大的长处就是销售，其他方面比如人员组织、资金使用、绩效管理等等，他都一窍不通。试想让这样一个人去管理公司，屡战屡败还会避免吗？

最重要也最可笑的是，由于自己的经历，马克竟然认为销售是一件再简单不过的事情，或者说他认为所有人都具有非凡的销售才华。所以，不管对方擅长什么，他都一律不管不顾地让其出去跑销售，而自己则坐在办公室里搞管理。弄到最后，他的公司上上下下几十号人，没有一个人在发挥自己的特长。

大道理 谁都不可能十全十美、样样都行，但这并不可怕，可怕的是非要从事与自己弱点相应的工作。反过来，有特长当然是好事，但如果把特长束之高阁，就会跟没有特长一样。

43. 辞职与升职

甲是某公司的业务员，因为感觉努力与回报不成正比，他越来越懈怠。相应地，与业绩挂钩的工资待遇也越来越低。

连续几个月只拿到800块钱的基本工资后，甲终于受不了了，他咬牙切齿地对同事乙说道："我恨死咱们公司了，我要立刻辞职走人。"

乙肯定地点点头道："我非常支持你，但是我认为，你现在走并不明智。"

"为什么?"甲不解地问道。

"你想想，咱们公司最在乎的是什么?是客户!"乙分析道，"现在你手里几乎一个客户都没有，走的话对公司几乎造不成任何影响，你不觉得这样太亏了吗?"

"那你觉得我应该怎么办?"甲反问道。

"你不是恨公司吗?那你就应该最大程度地去报复它啊!"乙用手比划着说道，"你应该趁着还在公司的机会，拼命去为自己拉一些大客户，成为公司独挡一面的人物，让公司觉得你能力非凡，没你不行。然后，你再带着那些客户突然辞职。只有这样，公司才会遭受重大损失，处于非常被动的不利局面。"

"对啊!"甲恍然大悟道。从此以后，他便尽心竭力地努力起来，争取早一日让这个讨厌的公司得到教训。事遂人愿，几个月之后，甲已经成了全公司业绩最辉煌的业务员。

一天，在电梯里巧遇甲的乙提醒他道："是时候了，要跳槽的话你赶快行动吧。"

没想到甲淡淡一笑："前几天老总刚跟我长谈过，准备在近期内升我做销售部经理呢。看看前途一片大好，我暂时不准备离开了。"

大道理 努力与收获是成正比的，虽然有时它不会立即体现出来，但如果在工作中，你一直让付出大于得到，老板早晚会意识到你的能力适应更高的职位，从而给你更大的平台去创造更多的利润。

44. 日本麦当劳传奇

1971 年，日本麦当劳在藤田田的操持下创立并迅速发展，当时，他还不满 30 岁，刚刚大学毕业 6 年。

为了创业，藤田田首先搞了一次为期不短的调查，最后，他看中了美国发展迅速的连锁速食公司麦当劳。可是，这家闻名全球的公司采用的是特许连锁经营机制，没有一定的财力和特殊资格，普通人是根本无法取得它的特许经营权的。而藤田田当时只是一个才出校门 6 年、毫无家底资本支持的毛头小伙子。按照麦当劳总部的要求，连锁经营者必须拥有 75 万美元现款和一家中等规模以上的银行信用单位支持，存款尚不足 5 万美元的藤田田是如何达到这一苛刻条件的呢？

他首先是绞尽脑汁地东挪西借，可是半年时间过去了，借款还不足 4 万美元。怎么办？面对如此巨大的资金落差，藤田田决心迎难而上、尽力而为。

于是，在一个风和日丽的日子里，他一身西装革履地走进了住友银行总裁办公室的大门。但是，刚刚听完他的创业计划和现有资金情况，对方便作出了“你先回去，让我再考虑考虑”的决定。

藤田田并没有就此罢休，他镇定自若地对总裁说道：“给我 5 分钟时间，让我告诉你我那 5 万美元存款的来历，好吗？”对方回答：“可以。”

“那是我自从毕业以来的 6 年里按月存款的结果。这 6 年里，每月我都坚持存下 1/3 的工资收入，雷打不动。我碰到过许多意外的情况，可每次我都是咬紧牙关挺过去，哪怕是四处借钱，我都不会减少存款。我之所以这样做，是因为毕业时我就立下宏愿：用 10 年时间存下 10 万美元，然后开创自己的事业，出人头地。现在，机会来了，我决心提前走这一步……”

藤田田注意到，在听的过程中，总裁的脸色越来越严肃了。终于，对方开口道：“年轻人，下午你等我的答复。”等藤田田出门后，总裁立刻驱车前往了藤田田说的那家银行。不想刚一说明来意，银行某职员便说道：“我们都知道这位藤田田先生，他是我们见过的最有毅力、最有礼貌的一位年轻人。6 年来，他一直风雨无阻、准时存钱。说实话，我们都快佩服死这个人了。”

听完她们的介绍后，大为动容的总裁立即拨通了藤田田的电话，告诉他住友银行将毫无条件地支持他创建麦当劳事业。最后，总裁还特意解释道：“论年龄，我是你的 2 倍；论收入，我是你的 30 倍。但我汗颜，我的存款还没有你多，因为我不像你那么有毅力。就凭这一点，我敢肯定，你会非常有出息的！”

的确，日本现在的 13500 家麦当劳店，每年总计 40 亿美元的营业额，全都属于早已白发苍苍的藤田田老人。

大道理 人格魅力不只是一种巨大的精神力量，更会通过巨大的物质力量表现出来。有时，这种力量能够转化成现实的成功要素，帮助人突破重重困境。

45. 谁的错

秘书李薇人长得高挑漂亮，性格也高傲，经常明里暗里地讥笑这个矮那个丑，隔壁办公室的打字员王冰便是她讥讽的主要对象。说实话，除了长相普通之外，王冰并没有什么不好，头脑机灵，心地也善良。可是不知为何，李薇就是看不上她，动辙就嘲笑王冰的眼睛小，说什么“眼睛是聚财的地方，就凭她那两只小眼，一辈子也甭想发什么大财了，就干一辈子的打字员工作吧。”

说来也怪，这句话说了没多久，就发生了一件让人大跌眼镜的事儿。

那段时间各部门新旧人员更替频繁，为了“稳住军心”，老板决定给大家开个动员会。会中，老板拿起稿子就大声念了起来：“……做销售工作最重要的就是要有信心，善于从失败之中吸取教训，有句诗不是说嘛，山穷水复颖（疑）无路，柳暗花明又一村……”

不想老板刚刚摇头晃脑地念完那两句诗，下面的员工便笑开了。站在老板身边的李薇赶紧凑到老板耳边说道：“王总，是‘疑’，不是‘颖’。”老板一下子窘得连脖子根都红了。

这时，只见王冰迅速跑过去，探头一看稿子，然后装成羞愧难当的样子说道："哎呀，王总，对不起对不起，我真是太粗心了，竟然把'疑'打成了'颖'。对不起，是我弄错了。"

老板一听，顿作恍然大悟状："我说呢，我女儿叫王颖，我不可能不认识这个字！你可真是太马虎了，以后注意着点儿！"

"是是，我知道了。"王冰点着头下去了。

一个月后，老板揪着一点小毛病大肆斥责了李薇一顿并辞退了她，转而把王冰提拔成了秘书——通知王冰这个消息，是李薇作为秘书的最后一个任务。

大道理 每个人的知识都会有所欠缺，所以犯错误出洋相在所难免。如何巧妙地让别人从尴尬之中走出来，不但是一种高超的艺术，还是一项被人看重的机变本领。

46. 内心忧郁与貌似明快

同学来北京两个多月了，找工作也找了快两个月，可是不知道为什么，颇有才华的她就是找不到施展的平台。需要说明的是，她并不是没有面试机会，而是在面试之后总等不到录用讯息。怎么回事呢？到底是哪里出了问题？我们坐在一起分析着。

"你自己想过原因吗？"我问同学。

"当然想过了。"心情很不好的同学幽幽地回答，"可是'游泳的鸭子永远看不见自己的脚蹼'，我是当局者迷啊。"然后她便长长地叹了一口气。

忽然，我像明白了什么似的问道："你跟面试官说话时用什么语气？"

"什么语气？"同学很迷惑地望着我，"跟你说话一样啊。"

"我明白了！"我大叫起来，"以后再面试的时候，你尽量放大点声音，然后让你的语调里充满一种阳光灿烂的感觉，也就是听起来很明快的那一种。呶，就像我现在这样。"

"为什么啊？"同学很不理解我的意思。

"哎呀，你就别问为什么了，试试看嘛。你要相信我，相信经验！别忘了，我可是身经百战的‘面试王’！”我拍了一下她的脑袋说道。

“好吧，我尽量试试。”同学点点头道。

结果真被我猜中了，一周之后，同学就接到了一家图书公司的聘用电话。高兴之余，她忙不迭地问我：“到底是怎么回事？这是什么道理？”

“呵呵，因为我是局外人嘛！”我故意卖了个关子说道，“你可能没有意识到，你的天性中有一种忧郁的成分，而且很容易让别人感觉到。你想想，有谁喜欢跟林黛玉在一起呢？我之所以让你用明快的声音说话，就是为了避免对方感觉到你这种天性，明白了吧？”

“原来如此！”同学笑道。

现实的确如此，绝大多数人都不喜欢跟整天哭哭啼啼或者异常敏感的人在一起，而愿意过一种轻松欢快的生活。那么自然，我们就不能整天绷着一张脸，而应该尽量明快一些，哪怕只是貌似明快。因为，我们终究是需要别人的。

大道理 坏情绪如同瘟疫，很容易传染给别人，而没有谁喜欢跟整天不开心的人共事。所以，要想被人接受、受人欢迎，我们应该尽量保持明快的面容。

第十六章

经营与管理

1. 天才经营者

有“股票神童”之誉的美裔华人司徒炎恩，14 岁便因炒股扬名华尔街，这件事几乎谁都知道。可大家不知道的是，这位“神童”从很小的时候，便显露出了他独树一帜的经营思维。下面这个小故事，讲的就是他小时候的事：

司徒炎恩上小学时，学校里非常流行玩溜溜球。在司徒炎恩的班里，几乎每个同学都有一个溜溜球。当然，司徒炎恩也有，而且不止一个。当时，溜溜球有很多种牌子，但大多数同学都比较喜欢邓肯牌的，因为这个牌子的溜溜球质量比一般的要好，而且颜色也多样。可惜的是，司徒炎恩的学校以及居住区的周围商店里都不卖这种牌子的溜溜球。

这个时候，司徒炎恩就开始琢磨了：要是我从别处买一些邓肯牌的溜溜球，然后再以比买价高一些的价钱卖给同学们，那他们就可以买到心爱的品牌球，我也能赚到一笔钱，这岂不是一件好事？

想到这里，司徒炎恩决定进行一次调查。他首先对自己将要进购的这种溜溜球进行了宣传，结果同学们纷纷向他订购，他列出的订购条件是：对方必须预付订金，并且包含运输费。然后，他把已经写好的订单交给母亲，让母亲帮自己去几公里外的一家商店提货。

最后，还不满 10 岁的司徒炎恩在这笔生意中赚了 20 美元。可不要小看这个数字，要知道在当时，20 美元并不是一个小数，尤其是对于一个孩子来说。

大道理 举凡天才，都有一个共同特征，那就是他们都有一种独树一帜的意识。正是这种不同寻常的思维，使他们最终积累起了巨额财富。因此，思想是最大的财富，要想成功，你应该首先培养自己成功的思维。

2. 以退为进

一位富翁把自己收藏多年的3枚邮票拿来拍卖，拍卖师刚讲明邮票的年代与种类，一位识宝者便意识到了它们的珍贵，所以立刻开出了一个高价。只是很遗憾，他叫出的价离富翁的底价还差一点点。

富翁坚持的同时，识宝者也在坚持着，你来我往几番讨价还价之后，富翁竟然从兜里掏出一个打火机，捏起一枚邮票烧掉了。看到如此珍贵的邮票被毁，识宝者心疼极了，不得不把叫价抬高了点，可是仍然跟富翁的底价有一段差距。看着识宝者又一次陷入坚持，富翁又缓缓地捏起第二枚邮票点燃了。这一下，识宝者终于忍不住大喊道：好好好，我给你那个价钱。

“不，”富翁摇了摇头，“剩下的这枚邮票你需要出4倍于原价的价钱。”

“凭什么？刚才你3枚邮票一共也没卖到这个数。”识宝者大喊道。

“没错，”富翁微笑着，“但是你不要忘了，如果这样的邮票有3枚，它们的价值将会远远不如只有1枚，因为相对‘珍贵’来说，人们更喜欢‘绝世’。”

没办法，识宝者最后只得以4倍于原来的价钱买下了这枚绝世的邮票。

大道理 物以稀为贵。再有用的东西，如果遍地都是，它的价格也不会高到哪里去。而一件普通之物，如果绝世仅有，也往往会“价超所值”。

3. 从小技师到百货业巨子

几年前，当约翰·甘布还是美国维尔地区一家织造厂的小技师时，维尔地区突然被一场突如其来的经济危机袭击了。时间不长，当地的数家工厂和商店便纷纷倒闭，被迫抛售起自己堆积如山的百货来，有些甚至将价格压低到了1美元100双袜子的地步。

见物价如此低廉，约翰·甘布便把自己的钱全部用在了购买低价货物上。此消息一传出，当地的人们纷纷嘲笑起他的傻劲来。约翰却对别人的嘲笑置之不理，依旧闷着头收购各厂家竞相抛售的货物，甚至还用低价租用了一个大货仓来贮存这些货物。

又过了一些日子，那些工厂商店贱价抛售货物也找不到买主了，于是便把剩余商品堆积起来烧掉了，想以此来稳定市场的物价。妻子看到这种情况，不由得抱怨起约翰来，可约翰依然对此不发一言。

终于，美国政府采取了紧急行动，稳定了维尔地区的物价，并鼓励那里的厂商复兴。可以想象，这个时候，由于各厂商都严重欠缺存货，当地的物价不可控制地飞涨起来。一听说这种情况，约翰马上开仓放货，把自己库存的大量货物抛售了出去。靠这种办法，他狠狠地赚了一大笔，一下子成了当地富有传奇色彩的百货业巨子。

“要不要再等一段时间？”妻子一边掩示着内心的激动一边询问道，“物价有可能还会往上涨呢。”

“不，已经到了该抛售的时候了。”约翰·甘布摇摇头说，“再拖延一段时间的话，我们就会追悔莫及了。”

果然，他们的存货刚抛售完不久，维尔市的物价便慢慢回落了。

大道理 即便有1%的成功机会，你也应该及时抓住。千万不要轻视任何一个1%，因为它很可能会给你带来100%的利润，并成为你命运转折的关键所在。

4. 冒险经营者

19世纪80年代，约翰·洛克菲勒控制了美国的石油资源，这一成就不仅取决于他从父亲那里学到的经商哲学，还有从母亲那里学到的精细、守信用和一丝不苟的品德，当然更重要也更主要的，是受益于他从长期的创业中锻炼出来的预见能力和冒险精神。

1859年，美国出现了第一口油井。从那时起，还不到20岁的洛克菲勒便从迅速兴起的石油热潮中预见了这项风险事业的前景。所以数年后，当安德鲁斯—克拉克公司拍卖股权时，他毫不犹豫地表现出了自身非凡的冒险胆略——每次出价都比对手高，而且当叫价达到5万美元，已经远远超出石油公司的实际价格时，他还在坚持往上叫，直到以7.25万美元战胜了对手为止。那一年，洛克菲勒只有26岁。

对于如此年轻的洛克菲勒来说，在当时经营石油生意绝对是一项极其冒险的举动。但是出人意料的是，靠着灵活、诚信、大胆的经营策略，他所领导的标准石油公司，最终居然在激烈的市场竞争中脱颖而出，控制了全美出售冶炼石油总额的90%！到这个时候，已经成为“石油大王”的洛克菲勒还没有停止他的“冒险行动”。

19世纪80年代时，探测队在利马发现了一个大油田，可是由于这个油田出产的石油含碳量太高，人们无法找到一种有效的提炼方法，所以只能以一桶1角5分钱的超低价格向外售卖这种“酸油”。得知这件事以后，洛克菲勒执意要买下这个油田，因为他坚信总有一天会找到提炼的好方法。很自然地，他的这一决定遭到了全体董事的强烈反对，可是所有的人最后都屈服在了他的“强威”和“蛮横”之下。

果然，不到两年，洛克菲勒便找到了提炼“酸油”的方法，使得油价一下子从1角5分涨到了1元。靠着这个油田的巨大利润，标准石油公司很快在利马建起了全世界最大的炼油厂，使公司的盈利在极短时间内猛增至几亿美元。直到这时，董事会成员才不得不承认，洛克菲勒比他们任何人都看得远，都更具有强烈的冒险精神。

大道理 只朝眼睛所能及的地方前进，经营者早晚会堕入固步自封的落后境地。敢于向视力所不能及的区域挑战，才可能突破重围，石破天惊。别忘了，巨大的风险往往与巨大的利润并存。

5.1%≠100%与1%=100%

这家公司的效益一直都很不错，单从各地的经销商人数不断增长的事实上便可以确定这一点。

作为经销商之一的老高本是商界新手，但由于聪明能干，他很快就成了这种零件的经销大户。因为利益的原因，公司自然对他“宠爱有加”，所以双方一直合作得很愉快。

一次，公司错把一批不合格的零件供给了他，某位老业务员发现后，立刻连夜赶到了供销点，把那批货调换了过来，这件事使得双方的合作更进了一步。

但是谁也没想到，这位新业务员接手这个地区的供货工作后，一件同样的事情却让那位经销商断然拒绝了与这家公司继续合作。

“合作是建立在双方利益基础上的，这一点我们都明白，所以尽管那位老业务员的行为让我非常感动，并自愿增加了不少进货量，可是这并不代表我对这家公司没有一点戒心，也正是因此，我才对每批进货都一一过目检查。这批货中有几个有瑕疵的零件他们肯定知道，却依然不声不响地给了我，我当然会生气。”经销商说。

“我的确知道此事，我也本来打算告诉他的，可是后来又一想，好几箱零件就几个不合格的也属于正常情况，所以就又没说。”业务员说。

大道理 你对我诚实一次，我未必信任你的全部；但是如果你欺骗我一次，我一定会怀疑你的全部——这是商场的潜在规则。

6. 聪明的犹太人

1971年8月，美国总统尼克松发表了保护美元的声明。在这一声明发表之前，美国的犹太人就已经从美国与日本政府首脑的多次会谈中得出了日元将大幅升值的结论。于是，这些精明的犹太商人和金融家们，在别人尚未觉察之前，便开展了大规模的“卖钱”活动，即把大量的美元卖给日本。到了尼克松总统发表声明的前后时期，这种“卖”美元的活动几乎达到了疯狂的程度。用数字来说明吧：仅1971年8月份，日本的外汇储备额便迅速增加了46亿美元。

直到这时，不明原由的人还在惊讶地以为日本经济形势大好特好。而不久之后，日元大幅度升值的时期便到来了。

基于犹太人的“卖钱”事件，日本金融界有关人士算了个账：美国犹太商户在那段时间内每出 1 美元，便可买到 360 日元，而日元升值后，1 美元只能买到 308 日元。也就是说，日本每从美国犹太人手中买进 1 美元，美国犹太人就会净赚 52 日元，相应地，日本也就会亏掉 52 日元。就这样，短短几个月的“卖钱”过程，便使得美国犹太人一共赚了 20 多亿美元。

大道理 信息就是资源，谁最先掌握了信息，谁就掌握了市场竞争的主动权。那些想不依靠信息、一味蛮干的经营者，最终只会被社会淘汰。

7. 推广优种土豆

几十年前，法国政府花高价从国外引进了既高产又抗病的土豆新品种，不想习惯于老品种的农民对它根本不感兴趣，无论政府怎么宣传，他们都不肯拿自己一年的收成开玩笑。

怎么办呢？一个聪明的当局者想出了一个怪招。他吩咐国家农业实验室开发出一片不大的土豆实验田，等到土豆快成熟时，又拨出数名士兵寸步不离地把守在实验田边。

对于这一神秘举动，法国农民吃惊至极——一块庄稼地为什么要派重兵把守？难道其中有什么天机不成？终于，一些人忍不住好奇心偷偷溜进了实验田。回家以后，他们便忙不迭地研究着偷来的土豆，还尝试着把它种到自家地里，用心侍弄，看看到底有什么秘密在里头。

这样一来，不到一个季度，这种土豆的优点便一传十、十传百地家喻户晓了。第二年，未等政府再度宣传这种新品种，它就成了法国农民广泛种植的农作物。

大道理 世界上最珍贵的东西就是得不到的，因此要想抬高自己的身价，我们必须得自珍自重。当然，分寸的适度是最重要的，以免过犹不及。

8. 沉默时间

美国纽约国际银行开张了，为了打开局面，银行负责人决定给自己打个广告，看到那些在电视、电台上反复播放的广告并没有起到太大的实际效用，他们想出了一个非常与众不同的办法。

那天晚上，全纽约所有的电视、电台在同一时间向听众播报道：“亲爱的观众（听众）朋友，下面是国际银行特别为你奉上的沉默时间。”然后电视台和电台便都突然中断了信号，在10秒钟内声息皆无。一时间，纽约市民纷纷对这10秒钟的沉默惊讶不已，他们甚至奔走相告，一起猜测着这莫名其妙的“沉默时间”背后的故事。结果没出几天，这短短的10秒钟沉默便成了人们茶余饭后最热门的谈论话题，相应地，“国际银行”这四个字也被迅速传遍了整个纽约，甚至被传到了更远的地方。

看来，人的嘴巴是最好的宣传途径，但是并非谁都能利用上这个途径，因为人们只会聊他们感兴趣的东西。反复地、大声地叫喊自己的企业名称或产品名称并不见得就能让人们感兴趣，而且还有可能刺激起人们“讨厌”的神经，而新鲜的、出人意料的东西却能很自然地引起人们的好奇心，让他们主动去探根究底。

大道理 最能给人们留下深刻印象的是让他们感觉陌生、新奇的东西，而非你反复强调或极力推荐的东西。这一点，对广告业而言最有价值。

9. 农妇卖鸡蛋

农妇家里养了几十只鸡，由于喂养得当，每只鸡都要下不少蛋。很快，她便积攒起了许多鸡蛋。听说邻村的集市上鸡蛋价格要比本村高出许多，她便决定把鸡蛋拿到邻村集市上去卖。

“该用什么东西来装这些鸡蛋呢?”农妇一边自言自语，一边找着装鸡蛋的家什。不一会儿，她找来一只很大的柳条篮子，心想这下可好了，一次就可以全装完。果然，尽管满满当当，可毕竟所有的鸡蛋都被放了进去。

不想正当她拎起鸡蛋篮子想出门时，丈夫拦在了门口：“不行，不能用一个大篮子装这么多鸡蛋，换成小点儿的篮子吧，哪怕多装几次。”

“没事儿!”农妇不耐烦地瞥了丈夫一眼，“这篮鸡蛋才有多重！你忘了去年秋天，我还用它背过比这更沉的东西呢?”说着，她便猛地一拎篮子，想夺门而去。

谁知自打去年秋天以来，这个篮子因为被用的次数太多，许多地方的柳条都已经快断掉了，现在它承受着这么多鸡蛋的重压，再加上农妇这么一猛提，底部一下子就豁了下来。自然，篮里所有的鸡蛋都掉在地上摔碎了。

大道理 倘若把所有的资本都放在一个“篮子”里，无形之中就会增大风险；但如果过分分散，将之置于太多的“篮子”里，则就会增加管理成本。

10. 画像

一位日本商人请一位犹太画家去吃饭。

刚坐定，犹太画家便取出画笔和纸张，画起旁边谈笑风生的女主人来。不到5分钟，一张人物速写便画好了。画家递给日本商人看，果然不错，形神俱备，于是日本商人连声赞美道：“太棒了，太棒了。”

听到日本商人的奉承，犹太画家转过身来，开始面对着他在纸上勾画起来，一边画一边还不时地向他伸出左手，竖起大拇指（画家估计所画对象各部位比例的一种简易方法）。

日本商人一见这架势，知道画家这回是在给他画速写了，于是马上端端正正地坐好，摆起了姿势。

日本商人一动不动地坐了大概 10 分钟之后，犹太画家才停住笔，说了一声："好了，画完了。"

听到这话，日本人松了一口气，赶紧凑过去看。谁知纸上画的根本不是他，而是犹太画家自己的左手大拇指！

立刻，日本商人有点恼羞成怒："我特意摆好了姿势让你画，你怎么却捉弄起我来……"

"没有啊？"犹太画家故作惊讶地说道，"我本来就是想画自己的左手拇指，是你自己以为我在画你的，你怎么能反过来怨我呢？"

一席话说得日本商人张口结舌，难堪无比。

看看朋友的表情，犹太人笑笑又说了下去："都说日本人做生意很精明，所以我刚才才故意考察你一下的。你连问都不问别人在画什么，就以为是在画自己，还一动不动地摆好姿势。从这一点来看，你同我们犹太商人相比，差得远了。"

直到这时，日本商人才明白自己错在什么地方：他看见画家第一次面对的是女主人，画的也是女主人，于是便顺理成章地认为他面对着自己就是在画自己了。

其实，在这种思维方式上，世界上任何一个国家的人都差不多，而唯独犹太人除外。他们的生意经上，明确地写着一条：每次都是初交。哪怕同再熟的人做生意，犹太人也绝不会因为上次的成功合作而放松警惕、放松要求。他们习惯于把每次生意都看作是一次独立的生意，习惯于把每次接触的人都看作是第一次合作的伙伴。对于他们来说，最常用的话莫过于："我非常相信你，所以，请立即付钱给我。"

大道理 在生意场上，守信是一种基本道德，但谨慎却能避免因对方的失信而给你造成巨大的损失。所以，我们应把每次生意都看作一次独立的生意，把每次接触的商务伙伴都看作是第一次合作的伙伴。

11. 谁比谁聪明

又渴又饿的丁先生去吃饭，看看相隔不远的两家饭馆一个忙得不可开交，一个座位还空着许多，只想快点填饱肚子的他进了后一家。

他先要了一份汤。等汤端上来时，他才发现那竟然是好大的一盆。

“你怎么给我端这么一大盆来？我就一个人，能喝得了吗？”丁先生很是生气。

“你又没说是要一盆还是一小碗，我们就只能按随便对待喽。”服务员答道。

丁先生气得说不出话来，只喝了几口就把钱放桌子上走人了，当然，他是按大盆汤的价格付的钱。一边往外走，他一边想：以后我绝对不再来这家餐馆！

等走到那家忙得不可开交的餐馆门前时，热情的服务员把丁先生叫住了：“先生，看您的样子还没吃饭吧，里面请，我们这有……”

丁先生还是要了一份汤，而且还是没有说是要一大盆还是一小碗，但是服务员端上来的却是一小碗汤：“先生，您的汤来了。如果不够，您可以再要。”

心情舒畅的丁先生满意地吃完了饭，付钱走人，他一边走一边自言自语：“以后吃饭我还来这家。”刚说到这里他愣了一下：这家餐馆生意这么好，不就是由于这个原因嘛！

大道理 只有切实为顾客着想，才是长久的生财之计。如果只是想方设法算计顾客的钱，这只能是在自断财路。别忘了，最聪明的永远是顾客。

12. 梅里特与洛克菲勒

年轻的梅里特居住在密沙比市，多年的辛勤工作之后，他积攒下了一大笔钱。当发现密沙比有丰富的铁矿藏时，他决定用这笔钱成立一个铁矿公司。为了不让别人抢占先机，他的行动一直处于秘密状态，直到收购完地产，顺利成立了公司后，他才让真相大白于天下。

碰巧的是，当时的石油大王洛克菲勒也非常想在这一地区发展一个铁矿，可惜当他准备动手时，梅里特的铁矿公司已经开始运营了。无奈之下，洛克菲勒决定收购下这家铁矿，谁知派人前去谈判时却碰了个钉子——梅里特坚决不同意出售自己的公司。

怎么办呢？向来不服输的洛克菲勒苦苦思索着解决的办法。1837 年，当美国处于经济大萧条时期时，他才终于想到了一个好主意。

那时，和许多公司一样，梅里特的铁矿公司也陷入了经济危机的漩涡之中。面对着即将倒闭的铁矿，梅里特只能每天长吁短叹，愁眉不展。可是有一天，本地的一位牧师突然来到了他家，跟他闲谈了起来。谈着谈着，梅里特便不自觉地谈到了当前的经济危机，并说明自己的铁矿也正陷入其中。

“哎呀，你怎么不早说啊？”牧师立刻热心地对梅里特说道，“我有一个朋友，非常有钱却找不到投资的地方，如果我跟他说一下的话，他一定能支援你们需要的周转资金的。”

“真的？”梅里特喜出望外，对牧师的敬意和信任立刻又增加了几分。

“当然，说说看，你们需要多少资金？”牧师问。

“42 万。”梅里特如实答道。

于是，牧师给梅里特写了一封借 42 万元的介绍信，而且利息还比银行利率低 2 厘。仔细审查发现没有什么遗漏后，梅里特签了字。

果然，那笔 42 万元的巨款不久就到账了，梅里特的铁矿公司又活跃了起来。谁知半年之后，那位牧师居然满脸严肃地来找梅里特，并告诉他说：“我的那个朋友早上给我来了电报，要求马上收回那 42 万元的借款。”

梅里特一听，顿时傻在了当场，因为那笔钱早已经被投入到铁矿的运营中去了，他现在根本拿不出那么多现金。没办法，双方只好付诸法律。但法庭的最终判决是：“借据上写的是‘考尔贷款’，考尔贷款的利息之所以比较低，是因为它可以随时收回。所以，根据美国法律，请贷款人立刻还清所有借款，或者直接宣布破产。”

在这种情况下，梅里特别无选择，只得宣布破产，并开始拍卖。买主是谁？当然是洛克菲勒。忘了说了，那位牧师不仅是梅里特的朋友，还是洛克菲勒的朋友，并且，他是先认识洛克菲勒的。

大道理 害人之心不可有，防人之心不可无。我们不要去欺骗别人，但也要随时防止被他人欺骗。这个世界上，最可信的人只有一个，那就是自己，尤其是在商场上。

13. 将成本降到最低

全世界有不计其数的航空公司，而最赚钱的，当属美国航空公司。今天，在巨额利润的支撑下，它已经成了全美航空业的老大。那么，它为何能够如此成功呢？美航执行长罗伯·柯南道尔用一句话告诉了我们答案：把成本降到最低。的确，自从开业以来，美航一直致力于节省成本。比如，它曾经想尽办法使空航更加现代化、更加快捷；再比如，它通过合理增加每班机的座位密度、发展轴辐式的路线结构来减少间接成本；另外，以劳动契约和双层工资制来节制劳工成本，以削减燃油等方式来减少变动成本，也是它省钱的措施之一；甚至包括一直使用收音机在内，也是它为“省油”想出的决策之一。

据说，为了省钱，罗伯·柯南道尔曾经亲自下令开除过一条看门的狗。

事情是这样的：美航在加勒比海边有一栋货仓，早先雇用的是一个人整夜看守。后来，柯南道尔建议把看守的人换成临时工，隔一夜看一夜，因为他知道即便如此，别人也会以为每夜都会有人看守。再后来，柯南道尔还想减少成本，于是便派人找来一条狗看守仓库。看门狗异常凶猛，一见有陌生人靠近便会狂吠不止，除非有它熟悉的人带领。时间一长，胆子再大的人都不敢靠近仓库了，更不用说去仓库里偷东西。看到这种情况，柯南道尔微笑着解雇了那条狗，然后把录有狗叫声的磁带放到门口处播放。好长时间过去了，人们还以为真有一条狗在那里看守，因此依然不敢靠近仓库。

大道理 当用则用，当省则省。虽然说“省钱不如挣钱”，但如果将二者结合，不更是一个积累财富、增加利润的有效捷径吗？

14. 1+1>2

一对犹太父子来到美国休斯顿做铜器生意。一天，父亲问儿子一磅铜能卖多少钱，儿子回答说35美分。父亲说没错，全美国人都知道一磅铜是35美分，但是作为犹太人，你应该说它是3.5美元，你试着把一磅铜做成门把手看看。

10年后，那位父亲死了，儿子独自经营起铜器店来。除了门把手外，他还做过铜鼓、表壳、奖牌等等，因为花样翻新，他曾把一磅铜卖到过3500美元的高价。然而真正使他扬名的，并非他几十年来一直苦心经营的铜器，而是纽约州的一堆垃圾。

那是1974年，美国政府为了清理翻新自由女神像时扔下的废料，正在向社会广泛招标。但是由于政府出价太低，几个月过去了还没有人应标。正巧他听说了这一消息，于是立即乘飞机赶往纽约。当看到自由女神下堆积如山的铜块、废木料时，他真是喜出望外，未提出任何条件便与政府签了约。

他的这一举动顿时在当地产生了轰动性的效应，当然那几乎全是疑惑与耻笑，因为在纽约州，政府对垃圾处理有着严格的规定，如果违反规定的话，轻则给予罚款处分，重则遭受环保组织的起诉，被投入监狱都是有可能的。但正当人们等着看这个犹太人的笑话时，他却做出了让所有人都目瞪口呆的事情：组织工人对废料进行分类，把废铜重新铸成小自由女神像；水泥和木头制成底座；废铝、废铅做成纽约广场的钥匙；垃圾最底层的灰尘则包装起来出售给花店。

这样一来，不到3个月时间，他就把这堆废料变成了350万美元的现金，再加上政府给他提供的清理费，每磅铜的价格在他的手里已经翻了不止一万倍。

是什么让他拥有如此令人惊叹的智慧呢？他说是他的父亲，因为他的父亲曾经对他说过这么一句话："当听到别人说1＋1＝2时，你应该想到它其实大于2。"

大道理 在商业化的社会里，跨栏越高跳得越高。如果你一直以为1＋1＝2，那么它最多等于2；如果你一直以为1＋1＞2，那么它至少等于2。

15. 两家店铺

这是一条专门经营服装的商业街，由于刚成立不久，有些铺位还没有租出去。老张和老李瞅好这个机会，各自租了一间做服装。

老张租的是整条街最开头的那一间，他想：反正价钱是一样的，我抢个当头间，能截住顾客，生意一定会最好。其实老李也有这样的心思，但是由于老张把第一间占了，他只好在进街1/3的地方租了一间。

选了个吉日，两人都开张了。可是开业没多久，老张就发现了一个怪现象：每天在自己店里进进出出的顾客是老李的好几倍，可是成交率却总是不如老李高。这是怎么回事呢？老张真是头疼极了。后来，他向一位经验丰富的营销经理取经，营销经理告诉他说：你选店的心理就不对，你是做服装，不是做快餐。要知道对于想买衣服的顾客来说，他们通常是不会在第一间店便成交的，而总是会货比三家，以免多花冤枉钱。但是倘若这条街不是很长，多数顾客也不会选择在中间店铺购买，而选择从两头开始1/3处的铺位机会最大。当然，如果你经营的是特色名牌，情况就会相应地发生变化……

听到这里，老张已经明白是怎么回事了。

大道理 事物都是有规律可循的，如果只是凭“想当然”，你很可能会吃大亏。深入分析其中的“所以然”，你才可能把握住最有利的局势。

16. 两辆中巴

自从修了柏油路，这个原来与世隔绝的小村子就结束了出行不便的历史——两辆开往市里的中巴公共汽车，每天早晨都会按时在村头等乘客。

这两辆中巴的经营者都是父女两人，但是其服务态度却迥然不同。第一辆中巴的父女待人冷淡，一副“商人重利轻情义”的嘴脸，不管大人小孩，一律如数收费，除非是襁褓中的婴儿。还有，负责售票的女儿非常不喜欢乘客带行李，每逢有谁大包小包地拎着，她就会嘟囔个不停，而且即便是嘴巴闭上了，也会时不时斜眼瞟一下堆在座位下面的包裹，满脸的厌烦之色。第二辆中巴的父女俩则恰恰相反，他们待人热情，服务周到，不但小孩都不收费，连大人全票的零头也会抹去。倘若有些人感到过意不去，硬要塞给女儿，她就会用手挡着说：“下一次吧，下一次吧。”可是她的记性非常不好，任何一个下一次，都不见她想起上一次的事来。而另一点和第一辆中巴经营者相反的是：她非常乐于给乘客帮忙，哪怕是免费替人往城里或往村里捎东西。

我家就住在这个村子的最西北角上，进城返家多了，自然也就与这两辆中巴的经营者熟了，当然最熟的莫过于他们各自的服务态度。相信大家都能猜得到：不管是离家还是回家，我都会耐心地等待第二辆中巴，尽管它的开车时间要稍稍晚于第一辆。

今年五一我再度从城里回家时，意外地发现第一辆中巴的编号已经从汽车站售票厅的大屏幕上消失了。哦，对了，这不能算个意外。

大道理 精明算计只能得一时之利，有一点人情味才是长久之计。丝毫不顾及顾客的利益，一心只从自身出发考虑问题，终究会被竞争激烈的市场淘汰。

17. 报童给人的启发

两个贫困孩子都在给一家报社打零工，由于卖的是同一份报纸并且相隔不远，两人成了竞争对手。

为了让自己活得更好一些，两个孩子都绞尽脑汁地想多卖点儿。但是争来争去，第一个报童还是败下阵来，不得不另谋生路了。这是怎么回事呢？要知道，他看起来比另一个报童勤劳多了，每天都会扯着嗓门沿街叫卖，经常把嗓子都喊哑了。而另一个报童只是不停地跑来跑去而已，几乎没有谁听到他大声叫卖过。带着疑惑，人们去问另一个报童，只见那个报童憨憨地笑着，对大家说“我只不过是抓住了客户而已”。原来，他每天都会坚持去一些固定的场合，去了后就给大家分发报纸，过一会儿再来收钱。地方越跑越多，他卖掉的报纸自然也会越来越多。这个法子看起来简单，其实却大有深意：

第一，同一个地区的人们对同一份报纸的需求是有限的。大家先拿了他的报纸，自然不会再去买别人的，这便打击了对手；

第二，报纸这种商品一般不会因为质量问题而退货，所以一旦分发出去，收上钱来几乎是必然的。这便保证了自己的饭碗；

第三，即使有人看过报纸就跑了，或者真退报不给钱，也没关系，他们已经看过报，肯定不会再买别人的，所以依然是自己的潜在客户。

大道理 虽然在商业经营中技巧无穷尽，但“想法”永远是其中最令人珍视的财富，只有拥有独特的想法，才可能有独特的收获。

18. 酱菜广告

1997年，老李退休后用自己攒了半辈子的钱开了一个酱菜厂，虽然注册资金只有十几万块钱，但干了一辈子营销管理工作的老李却蛮有信心把它做成全城第一品牌。

为了迅速挖到第一桶金，老李寻思着在酱菜上市之前先打个宣传广告。问过当地电视台的相关人员以后，他发现电视广告实在不是一个好选择，不但价格昂贵而且自主性太小，看来只好选择广告牌位了。

可到哪里才能寻找到既便宜又实惠的广告位置呢？琢磨来琢磨去，老李灵机一动想出了一个主意，他用了整整三天的时间转遍了城中城郊的大街小巷，终于找到了一个让他非常满意的广告牌位——在进城的高速路口处，各种车辆和行人总是川流不息。

就是它了，老李心想，虽然这里路人皆行色匆匆，很难保证广告的良好效果，但只要他们看上一眼，我的酱菜就能印到他们的脑子里，要知道在这之前上百公里的高速公路上可都是没什么广告的。

决心一下，老李立刻行动起来，第二天，他的广告便登上了那个位置，但是令人惊讶的是，那并不是他的酱菜广告，而是一个“广告的广告”：好位置，专等贵客，此广告位招租：185万元/年。

上帝啊！所有看到这个广告牌的人都倒吸了一口冷气，心想这样的天价谁能租得起！一时间，这个贵得离谱的广告位成了人们茶余饭后所津津乐道的新闻，连当地电视台、电台、报纸等各大媒体也纷纷给予了极大的关注。

一个月之后，老李将自己的酱菜广告登了上去。结果没出几天，全城的市场便被他迅速打开了，因为那“185万元/年”的广告位早已经家喻户晓。

正当员工们为自己老板的睿智惊叹的时候，老李又在筹划着如何将酱菜推向全国了。

大道理 无论你的真实价值如何，价值的标尺永远在别人手中。主动替自己做块招牌，适当放大自身的价值，你才可能被人所认可、所重视。

19. 加鸡蛋

这家店以卖一种好吃的面著名，每天到这里吃面的人总是络绎不绝。

看他家的生意好，另一商户也在附近租了一间门店开始卖面。

从表面看来，这两家对街而开的店没什么区别，都很干净，服务也都很不错，每天进进出出的顾客数量也差不多，但是结算当天的营业额时，新开的店总会比原来的老店要多出百十来块钱，而且天天如此。这是怎么回事呢？

带着这个疑问，我先走进了那家老店。

“加不加鸡蛋？”服务员热情地问我。

“不加。”我回答。

于是，一碗热气腾腾的面上来了，里面没有鸡蛋。我看看周围，绝大多数人的面里都没有鸡蛋。

晚上时，我又到那家新店去吃同样的面。

“加一个鸡蛋还是两个鸡蛋？”服务员同样很热情。

“一个吧。”我说。

不一会儿，面也上来了，里面窝着一个鸡蛋。我依然看了看四周，却发现绝大多数人的面里都有鸡蛋，或者一个或者两个，没有的很少。

这样，一天下来，新店比老店多卖出了很多鸡蛋。

看来，顾客进饭馆吃饭，其实是在做选择题，题目由自己出好，选项却由饭馆设定。而会不会经营，就看老板如何设定他的选项了。

大道理 当人们作决策时，其思维总会被第一信息所左右。设计出恰到好处又于己有利的第一信息，往往能帮助我们在不知不觉中获胜。

20. 一份情报

美国葛雷森公司的总经理阿瑟·戈登在察看最新的销售情况汇总时，有消息提醒他接收新邮件，他打开一看，原来是自己公司的商业顾问某情报公司发来的。邮件中列出了一串中国企业名称，然后解释道：以上企业是在1998年中国中央电视台赈灾募捐晚会上举了牌子而未捐款的企业，其中有三家是贵公司的代理商或合作企业。据此，作为顾问公司，我们建议葛雷森取消这些中国企业的代理权，有合作协议的也应尽快终止。

对于这个提醒，阿瑟·戈登只是淡淡笑了笑，他认为对方未免太小题大作了。但是随后，他的表情又慢慢地严肃起来，他想到一个问题：就是这家情报公司，曾在20世纪50年代美军登陆釜山时向美国政府提供过"中国会出兵朝鲜"的研究报告，为此，杜鲁门政府曾付给它75万美元的咨询费用。既然有这样一个"前科"，那么它今天的研究成果就不应该被小觑。

正当阿瑟犹豫不决时，这家情报公司的总经理打来了电话，他这样说："我们只是提建议，绝对不想干预葛雷森的正常营销，因此最后的决定权归您。不过，我们必须对您每年付给我们的50万美元顾问费负责。"

这个故事最后的结局怎样，阿瑟是否采纳了这家情报公司的建议，我们都无法推知。但从这个小小的建议中，我们却能深味出另一种提醒：现代社会已经步入了一个信誉时代，倘若有谁敢对这一点毫不在意，最后吃亏的必然不会是别人。而且，就算你只是偶尔露了一点苗头，也是会被察觉的，因为天下不存在不透风的墙。

大道理 信誉是企业的第一生命力，如果经营者把这一点从理念中挖去，那么等待他的必然是全盘皆输的命运。因为欺骗他人会成为一种习惯，而受骗却永远不会成为习惯。

21. 两名推销员

两家大型鞋厂分别派出了一名推销员去南太平洋某岛国考察市场，一名叫迈克，一名叫保罗。

他们在同一天来到了这个小小的国度，当天下午，两人谁都没歇便出去了。可是一路走来，眼前的情景让他们大吃一惊：这个国家里竟然没有穿鞋的人，无论王公贵族还是平民百姓，包括僧侣们，无一不打赤足。他们打听了才知道，原来这个国家的人根本就没有穿鞋的历史，甚至连“鞋”是什么意思、什么样的都不知道。

得知这一事实，垂头丧气的迈克打电话给总部老板：“上帝，这里的人都不穿鞋子，有谁还会买鞋呢？看来这里根本没有我们的市场，我明天就打道回府吧。”

而同样是面对这一情况，保罗却欣喜若狂地给老板发了这样的电报：“太好了！这里的人竟然谁都没有鞋子，市场潜力巨大无比！我决定把家搬来，在此长期驻扎下去！”

两年过去了，这个岛国上的人都穿上了鞋子。因为做鞋生意，有很多人都发了大财，当然，获利最大的是保罗。

大道理 当感觉新市场难以寻找、难以开拓时，请闭上你抱怨的嘴巴，转换你思考的角度，因为新市场其实就在你的面前，就看你怎么发现它。

22. 你需要割草工吗

静静的午后，劳伦太太接到一个电话，对方自称是一位以替人割草为生的男孩。

“请问您需要割草吗?”表明自己的身份后，男孩问劳伦太太。

“哦，谢谢，我不需要了，我已经有了割草工。”劳伦太太回答道。

“我可以帮您拔除花丛里面的杂草。”男孩说。

“我的割草工已经做到了这一点。”劳伦太太回答。

“我会帮您把草与走道的四周割齐。”男孩又说。

“这一点我请的割草工也做到了，谢谢你。”劳伦太太似乎是微笑着说这句话的。

“那么，请问你还有什么割草工没有做到的活儿要干吗?”固执的男孩依然不死心。

“没有了，所有该割草工干的活儿，他都干了，并且干得很好。”劳伦太太说完，就挂断了电话。

男孩放下电话时，恰逢一个伙伴来找他出去玩。

“给谁打的电话?”伙伴问他。

“给劳伦太太，问他需不需要割草工。”男孩回答。

“你不正在给劳伦太太做割草工吗?怎么还会打这个电话呢?”伙伴大惑不解地问。

“哦，我只是想知道劳伦太太对我做的活儿是否满意。”男孩说道。

不知道有多少企业和个人，都是等到失去顾客以后才后悔的。如果能像故事中的割草男孩一样事先了解清楚顾客的反馈，又怎么会落到这种地步呢?

大道理 时常询问顾客的满意程度，并了解哪些是自己做得好的，哪些是自己的不足之处，你才可能不断进步，并永远立于不败之地。

23. 放哨的大雁

秋天来了，大雁纷纷往南飞，这个雁群是其中之一。每天晚上，它们都会聚集在一个隐蔽的地方栖息，然后按照雁首领的安排，轮流守夜放哨，一旦有人来了或者有其他敌情出现就鸣叫报警。

这天晚上，轮到这只叫小白的大雁放哨。看看其他兄弟姐妹都已经入睡，小白愈发警觉起来。忽然，它发现不远处的湖边上有火把被点亮了，“有敌情!”小白顿时嘎嘎大叫起来。熟睡的雁群听到警报，立刻扑棱棱地都飞了起来。可是当它们睁大眼睛往下看时，却发现根本就没有什么火把，静悄悄的草丛里一点动静都没有。于是大家都埋怨小白，重新落回原处休息了。大概一刻钟之后，远处的火把又亮起来了，小白确信不是自己眼花，又嘎嘎大叫着把大家弄醒了。可这次还跟上次一样，看不到什么亮光！它们又都生气地抱怨了小白一顿，就又入睡了。

如此反复三四次之后，愤怒的群雁受不了了，纷纷追着啄它。小白疼痛难忍，蹲在再次进入梦乡的雁群旁边低低地哭泣起来，心想无论再发现什么情况自己都不叫了，免得再被啄。

忽然，一张大网从天而降，酣睡中的雁群被举着火把的猎人一网捕获，一只没剩。

原来，猎人熟悉了大雁的生活习性，故意用这种方式引得雁群失去警惕，然后趁机下手捕捉。可怜的群雁，就这样不明不白地成了猎人的餐中美味。

这个道理，多像企业竞争中的一些场面啊。

大道理 在企业所面临的各种考验中，对手的竞争行为总是防不胜防。要想长期立于不败之地，建立健全预警系统是必须的。但更关键的是，企业随时都应严阵以待，谨防片刻的放松给对手一战全胜之机。

24. 财主立遗嘱

老财主没有孩子，看着自己行将老去，他开始考虑由谁来继承自己遗产的问题。在最近的亲人中确定了继承人的候选名单后，他决定拿出一笔钱试他们一试。于是，他便根据每个人的才干，给了阿伦 1 个金币，给了阿波 3 个金币，给了阿雷 5 个金币，然后告诉他们：按照你们的意愿去自由支配手中的金币吧。

阿伦拿这个金币做了自己最擅长的布匹生意，很快，就赚了 10 个金币。拿到 3 个金币的阿波，借此扩大了自己商店的规模，最终，他赚了 3 个金币。而拿到 5 个金币的阿雷，却美滋滋地以为自己从此可以吃穿不愁，万事无忧了，所以每日吃喝玩乐，结果不出几个月便因为赌博而输了个血本无归。

半年后，财主把 3 位候选人叫到面前，问他们金币的用途。听了阿伦的汇报后，财主面露喜色；听完阿波的汇报，财主微微点了点头；而听完阿雷的汇报后，财主勃然大怒："你这个蠢货！就是存在银行里吃利息也比你这样糟蹋强！"说完，财主便告诉管家把遗嘱上继承人的名字填成阿伦。

管家不解地问道："阿伦自己有生财能力，阿波也是，只有一无所有的阿雷才最需要照顾，你怎么反倒一分钱不留给他，而全给了阿伦呢？"

财主回答道："这正是我的经营之道：凡是有的，还要给他，使他更富；但凡没有的，连他所有的，也要夺去。"

大道理 在企业经营中，宁可锦上添花，也不要雪中送炭。因为只有将有限的资源投入到最有希望获胜的战场上去，才能保证自己长盛不衰的优势地位，也就是说，经营者应擅长"抑弱扶强"。

25. 外来的和尚会念经

有一小贩，在自己家门口做生意，不知为何，尽管他每天都起早贪黑地劳作，可是"发财"二字就是跟他无缘。这不，都七八年了，他家住的还是那三间破泥房。在妻子埋怨、邻人鄙视下，小贩一气之下收了摊子，跑去了千里之外的青海打工。

也许是做生意做惯了，刚来到青海，小贩就发现这里商机遍布。比如说，自己原来卖的海带，这里就几乎没有。确定这一点之后，他立即用身上仅有的一点儿钱联系到了原来的批发商，从他那里趸了好大一批品质不等的海带。

几年后，靠着卖海带，他成了那儿有名的海产品大王，还一家接一家地发展着连锁店。最后，他的生意还扩展到了新疆和西藏。

又过了几年，他带着妻儿“衣锦还乡”，去拜访父老乡亲。忽然，他发现那条他熟悉得不能再熟悉的街道变了样儿，四下里全是外地人的店面，并且个个生意兴隆、顾客盈门。

“怎么回事呢?”他大惑不解地自言自语道，“我原来就是在这儿经营的啊，怎么就发不了财呢?”

“因为外来的和尚才会念经啊!”妻子半开玩笑半认真地说道。

“哦，我明白了。”受妻子那句话的点拨，他恍然大悟道，“看来本地的和尚不是不会做生意，而是太熟悉本地的情况，所以就‘不识庐山真面目’了。”

大道理 过于熟知与了解之后，往往会产生倦怠与迟钝，影响人的才能的正常发挥。而陌生环境的新奇和刺激，多会给人以无限的灵感。因此，敢于走近陌生的人与事，是不断发现新出路、新机遇的捷径。

26. 七僧分粥

在连续几年大旱的滕州，有一座寺庙也快揭不开锅了——整年颗粒无收，乡民都逃荒去了，谁还会来参神拜佛!

拍拍仅剩下的一袋米，老和尚决定以后数着米粒下锅，但是这样就出现了一个难题：如何分粥。是啊，大家都想吃饱，可是僧多粥少，怎么分才最公平呢?

为了不让大家抱怨自己恃权偏心，老和尚便想用抓阄的方法来决定分粥之人，每天轮一个。但是一周下来，每个人都发现他们只有一天会吃饱，那就是自己分粥的那一天。

一看这个办法不行，大家便都建议由老和尚来分，毕竟他德高望重，修行已深。但是被温饱所逼，强权很自然地就产生了腐败。一时间，大家皆挖空心思去讨好、接近老和尚，甚至还有人暗地里搞贿赂，弄得整个寺院里乌烟瘴气的。

没办法，大家只好开会再商议解决方案，最后一致决定组成分粥委员会与评选委员会。可是到开饭时，两组委员会总是大肆扯皮，互相指责不公，弄得每次吃饭时粥都是凉的。

经过反复实验，大家终于都认可了一个办法：首先把粥盛到碗里，然后分给大家，但分粥的人要等其他人挑完后拿剩下的一碗。这样，为了不让自己吃到最少的，每人都会尽量分得平均一些。

这个办法实施之后，寺庙里一下子和气起来了，几个和尚的关系也越来越好，即便打点小嘴仗，也总会在拿粥吃的一瞬间化解开来了。

大道理 不同的分配制度，必然会衍生出不同的风气，既然腐败因特权而来，那就想办法把这特权分配给所有人。虽然世界上没有完全公平、公正的事情，但尽量保持如此总还是可能的。

27. 伐木工人

一位伐木工人在伐木时，不小心被砍倒的树压住了一条腿，他拼命地向外挣扎，却无济于事。眼看着鲜血从腿上汩汩而出，伐木工人惊恐地感觉到了死亡的来临。怎么办？思索了片刻之后，他做出了一个十分痛苦的决定：砍掉已经被压断的右腿，然后迅速爬回家找医生。他这样做了，结果是他变成了残废。

后来，所有来探望他的亲友均为他感到惋惜——原来结结实实的一个人，现在竟然成了连生活都不能自理的人，这实在是一件让人遗憾的事情。但是谁都没想到，在这件事上最看得开的竟然是伐木工本人。

他说："不知道大家是不是听说过这样一个故事：在山间的小路上，老虎踏进了猎人设置的索套，挣扎了很长时间，它都没能使自己的脚掌从索套中解脱出来。眼看着猎人一步一步逼近，老虎一怒之下，奋力挣断了这只被套住的脚掌，然后忍痛离开了这个危险地带。老虎断了一只脚自然很痛苦，但却因此保住了性命，舍小取大，不还是一个聪明的选择吗？我之所以‘断尾求生’，正是源于这个道理啊！”

大道理 在企业的经营管理中，总免不了会遇到一些左右为难的抉择时刻，究竟孰轻孰重，当然要以企业的长久发展与整体利益为标准。即便今日之痛刻骨铭心，也总比明日全盘皆输来得好。

28. 我医术最差

一天，某富翁把天下名医莫枢请到家里做客。席间两人谈起家事，富翁才知原来莫枢兄弟三人都是医生。

“那你的两位兄长一定不如你医术高明吧？我看数你名气大了。”富翁问道。

“不，恰恰相反。我们兄弟三人中，我是医术最差的一个。”莫枢诚实地回答道。

“哦？这可太出人意料了。”富翁惊讶地说，“如果是这样的话，应该是你长兄名气最大，中兄次之，而你最不出名才对。怎么事实会正好相反呢？”

“原因很简单。”莫枢笑道，“我长兄医术太高明，常常能够在病人发病之前便铲除了他们的病根。那时候，人们根本不以为自己有病，所以都误以为他只会些鸡毛蒜皮的小伎俩，甚至还有人认为他根本就是个骗子。而我的中兄，医术稍次于长兄，在病人发病之初才能发现病情然后进行治疗。这样，以为自己只得了点小病的人便以为他只会治些小毛病，所以他的名气也不大。而医术最差的我，只有在人们的病情严重时才能发现问题并进行医治。这时候，人们饱受了病痛之苦，一旦治愈便会对我感恩戴德，以为我的医术已经出神入化。这么一来，明明水平最差的我，名气反倒最大起来。”

大道理 对于一个企业来讲，预防问题远比解决问题更具价值也更节省成本。可现实当中，由于人们本身的狭隘性，前者往往不如后者受重视。

29. 新调来的主管

由于原业务主管非但不能恪尽职守还反过来监守自盗，公司的业务部门一度陷入了混乱。后来，虽然老总快刀斩乱麻，把主管开除了，可是那些随着“不正的上梁”而歪了的“下梁们”却依然大有人在。正当大家为此烦恼时，一位新主管走马上任了。据说，这位新主管是个能人，过去辉煌的业绩为他赢得了老总的信任，因此专门被派来整顿业务部。

新主管一来，大多数同仁都兴奋之至，心想那些一直耀武扬威的“下梁们”可该吃吃苦头了。可是接下来的事情却让人们都大吃一惊，新主管竟然毫无作为，每天只会按时上班，有礼貌地跟大家打过招呼后，就一头扎进办公室！

一天，两天……一个月过去了，新主管依然如此，兢兢业业的业务员们开始大失所望，那些坏分子却长长地出了一口气——他哪是什么能人，根本就是个老好人嘛，比以前的主管还好哄！

不知不觉两个月过去了，乱哄哄的业务部依然毫无改观，没办法，抱怨累了的业务员们只好各就各位干自己的活儿去了，而坏分子们也挺挺腰板开始了他们一如既往的猖獗活动。

日子一天天过去，人们对新主管早已经失去了兴趣。可是出人意料的是，第三个月的月底，新主管却突然发威了：坏分子一律开除，能干者一律提升，尽职尽责者一律增发奖金。其下手之快，断事之准，手段之狠，简直就和三个月以来表现保守的他大相径庭。面对这一结果，众人无不瞠目结舌。

年终时，一派新气象的业务部决定搞个大聚餐，新主管自然被推为座上客。当众人忍不住好奇心，请他解开迷惑大家几个月的谜团时，新主管呵呵笑了起来：

“如果现在你们刚买了一套带院子的房子，大家首先做的肯定是全面整顿、力除各色杂草对不对？可是这样一来，你们没准儿就会把原本珍贵无比的花草给除掉了。我的一位朋友就曾经遇到过这样的事情，那件事教训了他也教训了我。

“我们的业务部就是个大花园，大家就是其中的植物，谁是杂草谁是珍木，只有历经时日，等到其开花结果后才认得出啊!”

大道理 正所谓“日久见人心”，要想真正了解一个人，我们必须首先经过长期、细致和彻底的观察。员工的价值高低也是如此，单凭一时或表面现象是不足以正确评估的。

30. 不拉马的士兵

俗话说“新官上任三把火”，这位年轻的炮兵军官上任伊始，便开始烧他的“第一把火”——亲临各下属部队视察操练实况。

一个星期过去了，年轻军官写总结时发现了一个怪现象，那就是几个不同的部队竟然存在同一个令人迷惑不解的情况：每逢大家操练，都会有一名士兵自始至终地站在大炮的炮管下面，纹丝不动。

这是怎么回事呢？为了弄清原委，年轻军官来到现场问站在那个位置的士兵，士兵回答他说：操练条例就是这样要求的。这怎么可能呢？操练条例会安排一个没用的位置给士兵？军官不解地翻阅着各种军事文献，终于，他搞明白了：

原来，过去的大炮是由马车运载到前线的，因此操练条例规定，设一位站在炮管下的士兵，其任务就是负责拉住马的缰绳，随时调整大炮发射后由于后坐力产生的距离偏差，以减少再次瞄准所需要的时间。现在，由于大炮的自动化和机械化程度都已经很高，那位拉马士兵便成了空角色。可是虽然马拉大炮的时代早已过去，炮兵操练条例却没能及时调整，因此才出现了“不拉马的士兵”这种怪现象。

年轻军官的这一发现使他获得了国防部的嘉奖。

大道理 司空见惯的事情，未必就是合理的。作为企业的管理者，应该有一根敏感的神经，随时感应外部环境的变化，较早发现变革的导火线并及时采取相应的行动。

31. 肯德基的特殊顾客

某天，上海肯德基有限公司收到了一封来自大洋彼岸的快信，相关人员打开来一看，里面竟然是总公司寄来的3份鉴定书，其上所标分数即是对他们所管理的某家外滩快餐厅工作质量的3次鉴定评价，分别为83分、85分和88分。看到信的内容，公司中外方经理无不瞠目结舌，这3个分数是怎么定的呢?

原来，美国肯德基国际公司的子公司遍布全球60多个国家，总共设有近万家分店，为了保证各地分店的工作质量，无暇亲自监督的最高层管理人员便雇佣、培训了一批"特殊工作人员"，命他们时不时佯装成顾客潜入各分店内进行检查评分。上述那3份鉴定书，就是这些"顾客们"的杰作。

由于这些"特殊顾客"来无影、去无踪，世界各地的肯德基快餐厅经理和雇员们很快就感到了某种压力，因此时时刻刻都不敢有丝毫的马虎与懈怠。这样一来，总公司虽然远在万里之外，却能轻松地遥控全局，保证其所有下属都能循规蹈矩。

其实这种"游击战术"在我们国内的各种企业内也并不少见，只不过高明程度有所差距罢了。不知道有多少单位的员工，都是在老板检查时装模做样、卖力表现，而老板前脚刚走便开始我行我素。即使这时老板再来个回马枪逮个正着，可这依然不能说是个长久之计，也就是说关键还在制度的确立。只有建立了一套完善的监督制度，才可能保证员工们每时每刻都能尽职尽责地工作。

大道理 做一次自我检查并不难，难就难在时时刻刻不忘自我检查。对于企业来说，管理者需要充当的就是一个提醒者，只有时不时提醒员工一下，适当给他们一点压力，才可能保证大家长期不懈的进取心。

32. 燕王招贤

战国时期，燕昭王为富国强兵，下大力气招揽人才，可是由于多数人都认为他不过是叶公好龙，并非真的求贤若渴，所以虽历经数月，燕昭王依然招不到能够治国安邦的英才。

正当他为此大伤脑筋时，一位名叫郭隗的智者进谏道：

“不知大王是否听过这样的故事，说是一国君愿出千两黄金购买千里马，但3年过后他依然没能买到。眼看着第四年也快过去时，寻马人才发现了一匹千里马，可惜当国王派人前去购买时，千里马早已病死了。

“那位寻马人二话不说，自作主张用五百两黄金买下了那匹死马。回国后国君非常生气，斥责他道：‘我要的是活马，你花这么多钱给我弄一匹死马来有何用!’寻马人请国君息怒，然后不慌不忙地说道：‘如果大王连一匹死了的千里马都肯花五百两黄金买下的话，那么活马呢？我们这一举动必然会引来天下的千里马啊。’国君一听有理，遂转怒为喜。果然，没过几天，就有人送来了好几匹千里马。

“话说回来，大王今日之所以招募英才而不得，不正因为您没有让天下人看到您的诚意吗？您不妨从招纳我郭隗开始，把您的诚意展现给所有人。大家看到像我郭隗这种才疏学浅的人都能被国君接纳，那些比我本事更强的人，自然会闻风而来了。”

燕昭王一听大喜，立刻采纳了这个建议，他不但拜郭隗为师，还为他建造了豪华的宫殿，并赏赐许多土地和财物。结果没多久，“士争凑燕”的局面就出现了，燕国一时人才济济。紧接着，没过几年，燕国便从一个内乱外祸、满目疮痍的弱国变成了一个富裕兴旺的强国，为它在战国七雄中争得一席之地奠定了基础。

大道理 人才是事业的根本，要想让企业长期立于不败之地，源源不断的人才是不可或缺的。重用你所发现的稍有才华者，不啻为吸引才华横溢者的一条妙计。

33. 曲直不相容

春秋时期，齐国的相国管仲是个睿智博学、极善进谏之人，很多场合都被他巧妙利用成了归谏大王的良机。其中，一个关于如何用人的故事最为著名。

一天，齐桓公让管仲陪同自己到马棚里察看战马，看过之后，齐桓公问主管马棚的官员道："马棚里的工作哪一项最难?"管马棚的官员还没来得及开口，管仲便说道："这个问题我可以回答大王。在辅佐大王之前，我曾经做过一段时间马夫，对这方面的工作甚为了解。我认为是编排供马站立的棚栏最难——如果最开始编排时用的是弯曲的木料，那么以后便要都用弯曲的木料，这样，那些笔直的好木料便会再也用不上了。如果一开始用的是笔直的木料，那以后也就要求都用直木料，如此一来，到最后剩下的就会都是些弯曲的木料了。这使我想起了大王为治理国家选拔人才的事情，这二者的道理是一样的，编马棚曲直不相容而相斥，用人之道也是贵在慎始。如果一开始就不谨慎选择，让奸人佞臣得以进入朝中，那么一旦形成固定的风气便会再也难以改变了。"管仲这一席话说得齐桓公连连点头。

大道理 正所谓"上梁不正下梁歪"，如果上层的、开始的人便是庸才，那么以后便会再难有人才进入；而如果上层的、开始的人是人才，那庸才就能够被挡在门外。

34. 面试考题

这家大公司招聘大区经理的启事一经公布，济济人才便立刻蜂拥而来。但是几轮面试之后，黑压压的面试者就只剩了不到 20 人。这 20 人势均力敌，不相上下，为了淘出真金，这家公司开始了最后一轮考试，是一次笔试。

这 20 来人拿到考题之后，一下子就慌了神，因为答题时间只有 15 分钟，卷子上的题目却有 120 道之多。没办法，大家只好连看都不看地匆忙答题，根本不听监考人员“请先浏览一遍全卷再答题”的提醒。说实话，所有的题都非常简单，就是量太大，所以有些人一边做题一边嘟囔：这么简单的题 3 岁小孩都会，简直就是浪费时间嘛。

结束铃敲响时，几乎所有的人都满头大汗而且满脸遗憾，只有一个人气定神闲地交了卷。“你被录用了。”监考人员对这个人说。

“为什么?”大家一起问道。

监考人员举起这个人的卷子，只见除了名字和电话之外，卷子上一个字都没有。“请大家看第 98 题。”监考人员说。

第 98 题：您无需答任何题，只要在卷面最上端写下您的姓名及联系方式即可。

“先纵览大局而非埋头细节，这是一个大区经理的必要素质。”监考人员也是公司总裁说道。

大道理 细节固然重要，但是并非人人都应该从细节开始下手做事。尤其是作为管理者，更应该首先放眼全局，把握住宏观。

35. 樊姬之明

战国时期，楚庄王有一宠妃叫樊姬，她向来以贤德著称。

一天晚上，楚庄王与大臣们商议政事到很晚才结束，樊姬起身迎接，说："大王主持朝会到现在，为何不见饥饿之色也不见疲倦之态呢？"

楚庄王抚抚长须："与忠诚贤明的臣子论说国事，我精神愉悦，所以不觉腹中之饥也不觉身体疲倦。"

樊姬问道："大王所说的'忠诚贤明的臣子'，是指刚从诸侯国前来进谏的宾客还是我国的朝中人士？"

楚庄王道："就是沈令尹啊。"

樊姬听到这个名字笑笑说："在这一点上，我倒与大王观点不同。我侍奉大王至今已经有 11 年了，年年我都派人四处选拔美女进献给大王。今天，这些经我选拔的美女已经有 10 人与我地位相同，两位比我贤明。难道我不想专占大王的恩宠吗？我不过是不敢因自己的私欲而遮蔽他人的美好罢了。沈令尹大人辅佐大王多年，却从未举荐任何人给您，这难道不是一种不忠吗？为何您还称他'忠诚贤明'呢？"

楚庄王觉得有理，第二天便把这些话说给沈令尹听。沈令尹一听，立即向庄王举荐孙叔敖。在孙叔敖的辅佐下，楚庄王只用了 3 年便成了春秋霸主之一。

大道理 能不能发现、承认和提拔比自己更棒的人才，是判断一个人是不是人才的重要标准。如果不能，他至少算不上是一流人才。

36. 买鹦鹉

王老爷子喜欢养鸟，而且非常着迷于收集各种稀罕的鸟。这天，看看天气挺好，王老爷子又来逛鸟市了。

刚走进鸟市不久，他便被一个卖鹦鹉的招牌吸引了，那上面标出的价格简直就是天价。

“老板，这只鹦鹉为什么能卖 500 块钱?”王老爷子转着那只鸟笼子问。

“哦，那是因为它会说外语，而且还会 2 门。”老板说着，便逗鹦鹉说了几句，果然，那鹦鹉乖巧得很。

王老爷子正在考虑要不要买下时，忽然看见另一只鹦鹉的标价是 1000 块钱。“哇，这只要 1000 啊，”他惊讶地说道，“那它肯定会 4 门外语了?”

“对对对。”老板立刻赔笑说道。

王老爷子围着这两只鸟转了转，正在下决心之际，忽然发现旁边还有一只鹦鹉，竟然标价 2000 块钱。可是那只鸟长得实在是太丑了，不仅老掉了牙，还毛色灰暗，乱蓬蓬的。

“天哪，这样的鹦鹉你还敢卖 2000 块钱！想必它会说 8 门外语了?”王老爷子瞅着那只鸟道。

“哦，不不，”老板摇了摇头，“它一门外语也不会说，只会几句咱们的本地话。”

“那为什么把它卖 2000?”王老爷子不解地问。

“因为，”老板分别指一指另两只鹦鹉，“这两只都管它叫老板。”

大道理 **真正的领导，并不一定是能力最强的那一个，但他一定是最会用人的那一个。通过团结比自己更强大的力量，他巧妙地提升了自己的身价。**

37. 两熊赛蜜

黑熊和棕熊都以养蜂为生，由于各自的蜜蜂数量相仿，两熊决定以一年为限比赛一下谁的蜜蜂产蜜多。

黑熊想：要想产蜜多，蜜蜂每天的“访花量”就必须上涨，也就是说，狠抓每只蜂的“访花量”是关键。于是他设计了一套监督测量访花量系统，每到月底，它都会按照监测数目公布各蜂的工作量，对成绩最好的蜜蜂给予重奖，对最差的给予严惩。

而棕熊和黑熊想的不一样，它认为蜜蜂的产蜜量多少在于它们每日带回来的花蜜数量，因此，它把比赛分成了三步：第一步，他首先开了个动员大会，告诉众蜂它正在和黑熊比赛，如果能赢的话，“战利品”它将与大家一起分享，并对贡献卓越者给予优厚的奖励。第二步，它设计了一套绩效管理软件，这套软件的功能非常简单，只测量每只蜜蜂每天采回的花蜜数量和蜂箱每天的成蜜数量。第三步，它制定了奖励制度，一是重奖当月成绩最好的蜜蜂，二是规定如果本月蜂蜜产量高于上月，将对全体蜜蜂进行不同程度的奖励。

眨眼之间，一年过去了，最终的比赛结果显示：棕熊比黑熊多收获了一倍的蜂蜜。

其中的奥秘何在呢？仔细分析其实不难发现。

黑熊的评估体系很不错，可惜与最终的绩效并不直接挂钩，所以它只是助长了各蜂“访花量”而非采蜜量的竞争，因为采的蜜多了，飞行的速度就会慢，访花量就会明显下降。另外，黑熊的奖励范围太小，而惩罚又太重，很容易让众蜂产生不平的心理。最重要的是，由于竞争压力太大，各蜂之间不得不相互封锁信息，比如即便发现某地有一片广阔的花园，它也不会将此信息与其他蜜蜂分享。

而棕熊则不然，它首先激励起大家团结一致、争取胜利的兴趣与决心，然后又用严明且合理的奖励制度把大家绑在一起，促使它们形成最好的工作机制：由嗅觉最灵敏、飞速最快的蜜蜂负责打探蜜源；由力气最大的蜜蜂负责运输蜂蜜；由剩下的蜜蜂负责酿蜜。这样一来，它既维护了贡献最大的蜜蜂的利益，保证了大家的积极性，又用“共享制度”促进了全体蜜蜂的合作与团结。

大道理 企业注重的是员工的功劳而非苦劳，因此绩效评估应该专注于最终成果而非劳动过程。另外，要想行之有效地提高整体业绩，不但要激励起员工之间的竞争，更要激发起所有员工的团队精神。

38. 鲶鱼效应

西班牙海岸的居民们多以打渔为生。由于西班牙人喜欢吃沙丁鱼，因此这一鱼种就成了渔民们争相捕捞的对象。可是奇怪的是，不知道为什么，沙丁鱼就像娇贵的小姐，一旦离开“家园”被捕捞上岸，用不了多久就会死去。因为死掉的沙丁鱼味道不怎么好，所以渔民们只能靠压低价格来促进销量，这样一来，白忙一场就是不可避免的了。

可是比这更让人奇怪的是，小镇上的某位渔民不知道有什么秘诀，居然从来都能把沙丁鱼活着带到市场上去。由于活鱼比死鱼的价钱能高出好几倍，所以同为渔民，不出几年，他便领先大家一步，成了腰缠万贯的富翁。

在此期间，不知道有多少人曾经带着贵重礼物登门拜访请求赐教，可富翁从来都是微笑不语，不肯透露其中的秘密。

终于，在临死之前，富翁把他的“秘密武器”告诉了他的儿子。原来，沙丁鱼对生存的环境极为挑剔，一旦离开大海，它们便会惊恐万分，拼命地挤在一起不肯活动，这样时间一久，绝大多数沙丁鱼都会因为窒息和饥饿而死。富翁发现这个现象以后，立刻着手实施了对策——每当打捞上沙丁鱼，他总会迅速往容器内放几条饥饿的食肉鲶鱼，让鲶鱼四处游动着寻找小鱼充饥。这样一来，面临危险的沙丁鱼就会被迫加速游动起来，进而使自身从出海到被运送进渔港，都能活蹦乱跳地保持着旺盛的生命力。

其实，这种“鲶鱼效应”不仅仅存在于自然界的生物中，企业用人亦是如此。一个公司，如果人员长期固定，难免会因为缺乏活力而产生惰性，使人们感觉到厌倦、疲乏等等。这时候，如果管理者能够把一些外来的“鲶鱼”召进公司，制造一些新鲜和紧张的气氛，员工们便会因为“紧迫感”而加快步伐，使整个企业的工作风气都会为之一变，长时间保持企业的生机勃勃。

大道理 有了压力与危机，人们才会有意识地加快前进的步伐，以求保证自己生存的安全性。因此，适当的竞争犹如催化剂，能够最大限度地激发人们体内的潜力。

39. 有缺口的圆圈

讲台上，一位全国著名的大企业家正在给大家作报告。报告刚刚结束，听众们便把自己最关心的问题提了出来：“众所周知您是管理学的奇才，您的员工对您无不交口称赞，请问您是如何成功做到这一点的？”

听到这个问题，企业家微微一笑，顺手拿起粉笔在黑板上画了一个圆圈，但是不知道是故意还是没注意，那圆圈他并没有画满，而是留下了一个小缺口。然后他转过身问大家道：“这是什么？”下面的答案五花八门：“零”、“圆圈”、“未竟的事业”、“有待完备的人生”……

企业家挥挥手，示意大家安静下来，一边对听众的答案不置可否，一边说出他自己的理解：“我认为这是个未画完整的句号。你们问我为什么会在人力资源管理上取得辉煌的成功，道理很简单：我不会把任何事情做到圆满无缺的地步，而会就像画这个句号，一定会留下一些缺口，让我的下属们去填满它。这让他们既感觉到有事可做，又感觉到我对他们的信任，最重要的是，他们获得了‘把一项任务圆满完成’的成就感。我想，这三点在人员管理中都是必不可少而且极具价值的。”

下面的听众顿时报以热烈的掌声。

大道理 谁都希望有机会证明自己的能力与价值，身为管理者，最重要的就是给下属提供这种机会。适当留个缺口给他人，这非但不代表你能力不强，还会显现出你胸怀全局的大智慧。

40. 放飞雄鹰

一位猎人在山中打猎时，发现了一只受伤的幼鹰。“可能是山巅鹰巢被袭击之后掉下来的吧？”猎人这样想着，便把幼鹰装进袋子里带回了家。

由于幼鹰从小就生活在农户的家里，每天都与猎人养的鸡在一起啄食、嬉闹和休息，久而久之，它也具有了“鸡”性。比如它很喜欢吃青菜、谷物、青虫等等，对于猎人偶尔丢给它的零碎肉片闻都不闻。也许，它始终以为自己是一只鸡吧。

几个月过去了，幼鹰渐渐长大了。眼见着它的羽翼越来越丰满，猎人很想把它训练成猎鹰，可是由于终日和鸡待在一起，这只鹰根本就没有飞的欲望。任凭猎人想尽办法驱赶它甚至打它，它都飞不起来。

想来想去，猎人灵机一动有了办法。他带着鹰爬到了山顶上，先让它看了看下面深不见底的悬崖，然后猛地将它扔了出去。看小鹰像块石头似的径直坠了下去，猎人一点也不担心。果然，一两秒之后，半山中就传来了凄厉的鹰叫声，随后，那只慌乱拍打着翅膀的鹰便出现了，它终于飞了起来！

大道理 给下属最大的空间施展个人才华，并适当予以扶持和指点，是对其最大的欣赏和运用。是龙即给以水，是虎即给以山，这可谓是管理人才的最高境界。

41. 艾森豪威尔的领导艺术

二战结束后，曾任欧洲盟军总司令的艾森豪威尔出任了哥伦比亚大学的校长。经他同意之后，副校长开始安排有关部门作工作汇报。考虑到系主任一级的人员太多，于是就只安排了各学院的院长及相关学科的联合部主任，然后告诉他们按照编号顺序来，每天两三位，每位汇报半小时。

这样的日子持续了一周，也就是在听了十几位院长的工作汇报之后，艾森豪威尔感到厌烦了，于是他把副校长叫了来，问他还有多少人要汇报，副校长回答说一共63位。听到这个数字，艾森豪威尔当时就惊呼道："天哪，怎么这么多！原来我做盟军总司令，领导人类有史以来最庞大的一支军队时，需要接见的也只有3位直接指挥的将军，至于他们的手下，我从来不用过问，也不用接见，怎么做个大学校长倒要接见60多位首长呢。你要知道，他们谈的内容我大部分都不懂，可是又不得不耐心地听下去，这简直就是在浪费彼此的时间嘛。算了吧，把你订的那张日程表取消吧，我不想继续下去了。"一番话弄得副校长哭笑不得，但是他又不得不照办。但是出乎他意料的是，如此一位"粗线条"的校长，数年中竟然把哥伦比亚大学管理得井井有条，有口皆碑。

后来，艾森豪威尔当选了美国总统。

一天，他正在打高尔夫球，白宫那边派人送来了紧急文件。总统助理知道他不喜欢在娱乐时被人打扰，于是便事先拟定了"赞成"和"否定"两个批示，只待他挑一个签名即可。没想到艾森豪威尔看都不看便在两份文件上都签了一个名，然后告诉助手："让狄克（当时的副总统尼克松）看着帮我批一个吧。"然后就又若无其事地打球去了。

大道理 事必躬亲的领导绝非好领导，而且往往出力不讨好。知人善任，把所掌握的人才放入适当的位置，使其最大限度地发挥自己的积极性和作用，才是管理的高层境界。

42. 大错误与小错误

后滕清一原本是三洋电机公司的副董事长，辞职之后，他投奔了赫赫有名的松下公司，并担任了厂长。在其在任期间，曾遭遇过一次由于工人违反操作规章失火的事故，损失极为严重。事情发生之后，后滕清一心中恐慌之至，他想平时哪怕自己打电话时一句问候语说得不到位，都会受到松下先生的严厉斥责，这次出了这么大的事故，还不定会受到多重的责罚呢。但他万万没有想到，松下接到报告后只轻描淡写地对他说了四个字："好好干吧!"

这短短的几个字当时就让后滕清一感动得一塌糊涂，立即暗暗发誓至死效忠松下，把全副精力都投入到工作中去。后来的事实证明，后滕清一的厂长做得的确是史无前例地好。

其实，这正是松下人力资源管理的一大秘诀。他曾经这样说：犯小错误时，当事人多半并不在意，所以我才用严加斥责的方式来引起他们的注意，以免以后再出现这样的事情。相反，犯下大错时，连傻子都知道自省，这时如果我再严厉批评，就会过犹不及，不利于工作和团结，所以还不如选择对其进行情感管理。

大道理 身为领导者，严格对待下属的小错误，是为了防止大错误的发生。而一旦下属已经酿成无法挽回的大损失，任何斥责都于事无补，这时还是好好收买人心为妙。

43. 寻找真正的对手

20 世纪 80 年代，可口可乐的执行长还是古兹维塔。当时，被可口可乐视为最强竞争对手的百事可乐，正以史无前例的速度和冲击力向前发展，不断蚕食着可口可乐已经占领抑或尚未占领的市场，因此古兹维塔手下的众多管理者们，都把注意力放到了百事可乐身上。他们一心一意地为每次0.1%的市场增长率而努力着，争取以这种方式渐渐超越百事可乐。

的确，他们的努力收到了一定的效果，可口可乐的市场占有率在慢慢上升着，如果长此以往的话，也未必不是超过百事可乐的好办法。但是执行长古兹维塔注意到这种苗头之后，立即召开了全体管理者大会，坚决制止了这种竞争。

当时的与会者都非常不理解地表示强烈反对，但古兹维塔的分析却令他们心服口服：我们可以把任何一家饮料公司当成竞争对手，但是最终的、真正的竞争对手永远是市场。调查显示，美国人一天的液态食品饮用量大约是14盎司，而我们的可口可乐，在其中占到了两盎司的比例。所以，我们的竞争对手不是百事可乐，而是占掉市场剩余12盎司的水、茶、咖啡、牛奶、果汁等等。由此可知，我们的目标不应该是百事可乐或者其他任何一家饮料公司，而是消费者的思想，我们应该做到这么一点：当大家想要喝点什么的时候，他们会很自然地想到可口可乐，并且事实上，他们也的确能够立即看到可口可乐的销售点。

分析完这一切之后，古兹维塔宣布了他的决定：停止与百事可乐的竞争，改为与0.1%的市场增长率这一情境的角逐。并且，在每一条街的街头处都摆上自动贩卖机。

古兹维塔的决定一经实施，可口可乐的销售量立刻上升了，百事可乐再也追赶不上了。

大道理 没有什么能够限制住你的前进，除了你脑子里为自己所设立的那个限制之外。因此，相比给自己限定一个对手然后去竞争来说，与市场、某一情境角逐更能促进自身的发展。

44. 子贱治单父

子贱是春秋末年人，我国著名思想家、教育家孔子的弟子，一向以雄才大略、能力非凡著称。

在他生活的年间，单父地区的地方官巫马期很是无能，整天忙得披星戴月、焦头烂额，可还是把单父治理的一团糟。后来，巫马期被另行调用，子贱走马上任了。

出乎人们意料的是，自从来到单父，子贱整天弹琴作乐、悠闲自在，似乎根本不理政事。可是更让大家吃惊的是，尽管如此，单父地区却慢慢地民兴业旺起来，并且没过几年，便人心安定，经济富足了。

此情此景，令巫马期甚为疑惑。一天，他终于忍不住前来拜访子贱，向他取经了。子贱得知巫马期的来意之后，微微一笑，摆摆手说我哪里有什么治理的诀窍，只不过是凭借大家的力量罢了。看巫马期不理解的样子，子贱解释道：你治理单父时，靠得是你一个人的力量。可是这么大的地区，事必躬亲必然会令自己疲惫不堪，并且还可能忙中出乱甚至失误百出。而我动员了大家的力量，靠众人的力量去完成这些琐碎的事情，这样才可能疏而不漏，于轻松自在间把握全局啊。

这个故事中的巫马期，非常像现代企业中的某些企业管理者，他们喜欢把一切事揽在自己身上，管这管那，从来不肯放权于手下人去做哪怕一件小事。可是一个人的力量毕竟是有限的，所以结果就造成了自己整天忙得焦头烂额，公司却依然漏洞百出的局面。

一个聪明的领导者，应该像子贱那样，正确地利用部属的力量，集合大家的智慧。只有这样，才可能既减轻自己的负担又治理好企业。

大道理 企业管理中，少可换多是真理。管头管脚（人和资源）是必须，而从头管到脚则是多余。学会适当放权，尽量抓得少些，你的收获反而会更多。

45. 价值千万美元的培训

香港德隆公司销售经理阿江，因为对市场动态判断失误，给公司造成了1000多万美元的损失。消息一经确定，阿江顿时既羞愧又懊悔。他立即向董事长解世龙递交了辞呈，以示谢罪。

猜猜看，解世龙是怎么处理的？即便我们提前知道他是个大度而睿智之人，面对如此巨额的损失，恐怕谁都会猜测他将火冒三丈，严厉指责阿江的过失，并作出开除阿江的决定。但是实际情况是：

解世龙故意表现出惊讶的样子，当着阿江的面把辞职信一撕两半，顺手扔进了旁边的垃圾桶，然后笑着对他说道："你开什么玩笑！公司刚刚为你花了1000万美元的培训费，你就想这样一走了之？我告诉你，不把它挣回来你就别想离开！"

听董事长如此说，深感意外的阿江立刻化羞愧为力量，在不到一年的时间内便为公司创造了远远大于1000万美元的利润。

这一结果，显然是在董事长解世龙的预料范围之内的，并且正是他"和平解决问题"的初衷。他是个明智的人，面对下属的失误，他不但看到了公司的损失，更看清了事业发展的动力和潜力，所以他克服了于事无补的"坏情绪"，以"培训费"三个字代替了"杀一儆百"的传统做法，从而转败为胜，让公司更上一层楼。

我们可以打这么一个比方：人的心情就像一潭湖水，如果任由水面波浪起伏，我们将无法映现出任何"美景"；但如果水平若镜，则不仅能映出四围的高山、树木，还可能连天空中的浮云也看得一清二楚。这个道理，解世龙董事长一定早已深刻领悟。

大道理 处理属下的失误时，如果你以愤怒开始，结果多会一败再败；如果你保持心静如水，就能既避免"脾气败"，又可能力挽狂澜，转败为胜。

第十七章

财富与生活

1. 富翁寻狗

某富翁带着宠物狗出去散步，不小心把它弄丢了。他急着找了小半夜，可就是找不到。他便通过电视台发了一则寻狗启事：本人不慎丢失宠物狗，归还者将得酬金 5000 元。启事右上角，还贴了一张宠物狗的照片。

启事一出，半个城市都轰动了。两天来，去富翁家送狗的人络绎不绝，都想得到那笔丰厚的酬金。可惜，那些狗虽然像，却都不是。“咱们家的狗可是纯正的爱尔兰名犬，是不是真正捡到狗的人嫌咱给的酬金少啊？”富翁太太寻思着，便把酬金加到了 1 万。

一位乞丐从某公园的长椅上捡到了那只狗，正欲把它当成流浪狗丢进垃圾箱时发现了那则广告，一下子兴奋之至——这辈子也没交过这种好运，有了这 1 万块钱，做点小生意，自己以后再也用不着当乞丐了！

可是当他看到酬金在不断上涨时，又犹豫了。他想，再等几天吧，等酬金涨到 10 万我再出手。

后来酬金真的涨到了 10 万，乞丐欣喜若狂地奔回自己的小草窝，却发现那只狗已经死了——它从小就吃鲜肉和牛奶，怎么能受得了那些垃圾筒里捡来的食品！

大道理 认为金钱万能者，早晚会因为钱坏事；对金钱贪婪无度者，难免会落个一无所有。犯了错误就要受到惩罚，在对待金钱上犯错当然也逃不过这个自然法则。

2. 比尔·盖茨与金钱

比尔·盖茨和朋友开车去希尔顿大酒店，到了门前发现车位很紧张，不过好在贵宾车位还有空余，于是朋友建议把车停在那边。

比尔·盖茨立刻反对道："噢，不行，那得花12美元，太贵了。"

"由我来付行了吧？"朋友有点不屑。

"那也不行，他们是超值收费！"比尔·盖茨坚持道。

没办法，朋友只好任由他慢慢地挪着车子，把车子开进一个好不容易找到的普通车位。

千万不要因此认为比尔·盖茨小气，他这些年为慈善机构捐款的数字足以否认这一点了。他不过是讨厌物不等值而已，对于该花的钱，他可从来不吝啬。

还有一次，比尔·盖茨走出某酒店时天在下雨，掏手绢擦眼镜时，一枚1块钱的硬币被带出来掉在了地上，又随着水流滚到了车底下。他想都没想，立刻弯下身去捡。旁边的侍者见状，赶紧帮他捡了起来。没想到比尔·盖茨接过硬币，一边道谢一边从兜里掏出了100美元酬金给侍者。

旁边的人非常不解：你既然在乎那1块钱，又何必付出这100块钱呢？他回答：那1块钱如果被水冲走不就浪费了，这100块钱却不会被浪费啊！

大道理 热爱和珍视财富是创造和赢得财富的前提，而不囿于财富却是创造和赢得幸福的前提。在对待金钱上，进退自如才是最正确的态度。

3. 金表事件

他是一位商人，来这座城市进货，随身带了十几万元。在酒店办完贵重物品保存后，他便出门去吃早点。

早点摊上，他听旁边的人在谈论一起盗窃案，说是某珠宝店失窃了几块金表，警局正在侦破等等。

回酒店的路上，他看见一伙人正在打架，听意思好像是为了争一块金表。

晚上在酒店的对外酒吧里坐着，他旁边的人又在谈论那些金表，说什么每块至少值5万块钱，不好倒手之下，有些人3万块就卖掉了。

这一天，金表事件充满了这位商人的大脑，于是他想：如果自己能搞到这几块金表，回到自己的城市肯定能大赚一笔。

没想到天遂人愿，他刚想完，手机就响了，对方压低声音问他是不是需要金表，还说质量绝对可以保证，等等。

大喜过望之下，一手交钱一手交货，商人付了12万买到了四块金表。回到自己的城市里，他一边盘算着能赚多少钱，一边等着鉴定的结果。

“先生，这种金表是假的，只是表面镀金而已，每块市场价最多1千块钱。”鉴定人员打断了他的思路。

原来，一切都是个骗局，专门用来对付他的。

大道理 在钱财上，付出与收获是成正比的。一心想着发意外之财，就请首先做好付出代价的准备，要知道不管你是谁，总会有人比你更聪明。

4. 财主受罚

某财主因为过分贪婪差点逼死一个佃户，于是县太爷把他抓起来，给他摆出了3种惩罚方法：一，交纳一百两白银作罚金；二，挨二十大棍；三，吃一斤辣椒。

视财如命的财主首先否定了第一种，他可不愿意从自己兜里往外掏银子。想想挨板子可能会让自己落下残疾，他便选择了第三种。于是县太爷让人把一斤辣椒端到他面前。吃第一根时他没觉出怎么样来，可是没过几分钟他就不行了，不但嘴唇像被割掉了一样疼，连内脏都像起了火似的灼疼起来，尤其是胃，简直就像被凌迟。实在受不了的财主大喊道：老爷啊，你还是打我二十大板吧，与其让五脏六腑烂掉再不能享受美食，还不如在床上躺几个月呢。

县太爷一听，立即吩咐手下把辣椒撤了，换上刑具。看看胳膊粗的棍子，又看看气壮如牛的行刑手，财主吓得全身哆嗦起来。行刑手可不管这些，他把财主按到地上便抡起了棍子。一棍下去财主便疼得哭爹喊娘了，几棍之后，财主便感觉头昏眼花，快不行了。想一想有可能会送命，财命赶紧拼命大喊道：老爷啊，别打了，我还是交一百两银子吧。

县太爷在上面点了点头。

大道理 如果为了钱你便不顾自己的健康与生命，那健康与生命早晚会让你大把花钱。既然鱼和熊掌总是难以兼得，何不早日退而求其次呢？

5. 我没钱，但我很富有

我刚刚打开门，就看到了两个小乞丐。

“太太，您能给我们一些旧报纸吗？我们很冷。”小男孩的双眼满含乞求。

“他才跟我儿子差不多的年龄，真可怜。”我这样想着，便把本来想拒绝的念头压了下去，“你们进来吧，来喝一杯热奶。”我把他们请进屋，因为听得出来，他们的胃同眼睛一样饥饿。

我让他们靠近火炉，给他们端来热奶、几片面包还有黄油，然后又去厨房安排我这月的生活费了——我不得不这样算计，我家每个月只有不到400块钱的收入。

大概十来分钟，外屋里吃东西的声音没有了，我扭头向外一看，那个小女孩正端着奶杯子细细地看：“太太，您很有钱吗？”

“哦，不。”我抖抖自己寒酸的上衣说。

“可是，您的杯子和盘子很配套。”女孩用细细的声音说，然后他们就走了。

这句话一下子让我愣在了原地。是啊，那套俭朴的蓝色瓷杯和瓷盘看起来是很配套，而我们一家人有一间房子住，我丈夫有一份稳定的工作，我们每天都能吃到好吃的土豆饼，这一切看起来不也挺配套吗？

瞬间，我感觉到自己是那么地富有，虽然我没有钱。

大道理 有钱并不是富有的唯一标志，因为即便没有可以挥霍的金钱，我们照样可以用精致的心营造出无尽的温馨与快乐。

6. 你已经拥有了100万

因为贫穷，这位青年整天窝在家里长吁短叹，抱怨自己的命不好。当老婆走过来说米缸就快见底了，问他要钱买米时，他狠狠地瞪了老婆一眼："你给我要，我给谁要！"气得老婆一边哭一边说："早知道这样，还不如嫁个百万富翁。"

听到"百万富翁"四个字，这个青年心里一动，跑到大街上去找了个算命先生，问对方他什么时候才能变成百万富翁。

算命先生抬眼看了看他懒得要死又想发财的德性，慢悠悠地说："你不是已经拥有了100万吗？"

"啊？在哪里？"青年急切地问道。

"我给你100万，你把你的脑袋给我，你愿意吗？"算命先生问。

"先生这不是开玩笑吗？没有了命，我还要100万干嘛！"青年泄气地说道。

"所以，你有一条不止值100万的命！"算命先生大声地对他说道，"你看，你的眼睛是财富，它可以帮助你看见发财的机会；你的大脑是财富，它可以帮助你思考如何才能赚到钱；最重要的是你的双手也是财富，它可以让你的发财梦变成事实。把这三样都运用起来吧，你早晚会发财。"

青年这才明白算命先生是什么意思，顿时为自己的懒惰羞愧不已。

大道理 俗话说"双手就是摇钱树"，财富只会眷顾勤劳的人。整天一动不动地躺在床上大做发财梦的人，永远也成不了富翁。

7. 财富

因为贫穷，这个年轻人整天闷闷不乐。一天，他跑到一位哲学家面前抱怨上天不公平，让他一无所有。

"你现在是个富翁啊，怎么会一无所有呢？"哲学家吃惊地对他说。

"这怎么可能，你看看我破烂不堪的衣裳！"年轻人以为哲学家在讽刺他，很不满地说道。

哲学家笑笑，对他说："我并没有骗你，你想想看，你的眼睛、双手、双腿等等不都是财富吗？"

"这叫什么财富，人人都有的东西！"年轻人嗤之以鼻。

"这绝非人人都有，你看看大街上有多少双目失明的人，又有多少失去双手或双腿的人。而且这当然是财富，比如即便我给你钱，你也不愿意把双眼给我对不对？所以说，它们不但是财富，而且还是很重要的财富！只不过拥有这种财富的人常常意识不到罢了。另外，有些人不但不感激上苍对他们的恩赐，还抱怨上天不公，看来只有失去时他们才会意识到它们的珍贵。记住吧，当你再因为自己的跛足而抱怨上天不公时，就想想那些失去双腿的人吧。”哲学家说道。

“当你因为跛足而抱怨上天不公时，想想那些失去双腿的人。”年轻人反复地念着这句话。

大道理 金钱是财富的一部分，却不是财富中最重要的一部分。正所谓健康无价，谁都可以利用现有的“财富”去挣钱，却几乎没人愿意拿它们去换钱。

8. 钱换不来的东西

年轻时，托马斯把自己的目标定在了“赚钱”上。中年时，他已经成了富翁。但是，虽然腰缠万贯，他总觉得还缺些什么，所以总是郁郁寡欢。

某天，托马斯回家时，看见一个白发老人从他的别墅里扛出一个箱子，扔上卡车拉走了。第二天，他又看到了这种情景。第三天，他终于尾随上了那个小偷。

卡车在一个山谷前停下了，只见那个老人把箱子从车上拖下，扔进了山谷里。托马斯跑过去一看，山谷里已经堆满了箱子。

“你偷了我的什么东西！”托马斯愤怒地喊道。

“别这么说，我不是小偷，这些都是你自愿放弃给我的。”老人说。

“你是谁?”托马斯不解地问道。

“我叫时间，这些箱子里装的就是你虚度的时间。”时间老人说完，随手打开了他面前的几个箱子：

在第一个箱子里，托马斯看到了他最爱却没有得到的姑娘正满脸忧郁地等着他回来，而他却迟迟未归；

在第二个箱子里，托马斯看到的是他母亲临终前的一幕，母亲眼巴巴地盼着能再见他一面，而他却因为忙于挣钱而没时间回家；

第三个箱子出现的是托马斯的老房子，那条忠诚的狗卡拉正在等着他回家，但一直等到死它都没能再见到主人。

泪流满面的托马斯再也看不下去了，他终于知道自己缺的是什么了，所以急切而诚恳地央求时间老人道："请您把它们还给我吧，我可以给您很多很多钱，多少都行。"

时间老人做了个根本不可能的手势，便连同箱子一起消失了。

大道理 钱很重要，却不是最重要的，如果为了赚钱忽略掉更珍贵的东西，我们早晚会尝到"后悔"的滋味，因为无论你多富有，都不可能买到"人生重来"。

9. 一只玉烟斗

小镇上有一个铁匠，老伴死了以后，他一直一个人生活。他经营的方式非常传统，人坐在门外，货物摆在门内，谁要买东西，吆喝一声他便会进去。由于前来买东西的人不多，多半时间他都会静静地坐在门外享受阳光。你看他，斜靠在竹椅上，眼睛半闭着，一边听着收音机，一边"吧叽吧叽"抽着老烟叶，那神态甚是悠然自得。也是，他每天的收入正好够他吃饭抽烟的，况且他年纪已大，没有什么再多的需要，这样的日子，他还有什么不满足的呢？

一天，一个外地人从他的门前经过，看到他时，眼都直了。老铁匠慢慢地睁开眼睛："您需要铁具么？"

"哦不，"外地人摇摇头，"老爷子，我看上了您的玉烟斗，您把它卖给我行吗？我给您个高价。"

可是无论那个外地人说什么，老铁匠就是不依他："我没儿没女的，要那么多钱干嘛！你走吧，我不卖。"

烟斗虽然没卖，但外地人走后，关于他的烟斗是个无价之宝的消息却一下子传开了。这下可坏了，老铁匠平静的生活全都被打乱了。不但本镇，一些外镇上的人都纷纷赶来，问他还有没有别的宝贝，这个烟斗多少钱能卖，甚至还有一些地痞乘机威胁他要他给他们钱，并说不给的话晚上就翻了他的家。老铁匠真是慌极了，他不知道该怎么办。

终于，当人们再次围住他叽叽喳喳时，烦透了的老铁匠从铺子里拿出一把铁锤，当着人们的面把那个烟斗砸了个粉碎。

从此，老铁匠的生活又恢复了平静。

大道理 对于真正懂得享受生活的人来说，任何不需要的东西都是多余的，包括过多的金钱与财物。与其因之而被烦扰，不如彻底卸下这个包袱。

10. 越多越贵

法国某旅游团到非洲大森林的原始部落观光。当来到居民的住处时，他们看见一位白袍老人正坐在屋舍前做草编，他的身边已经放了许多精美的小草帽、小花篮。看到这里，团中的一位商人灵机一动：如果把它们运回巴黎给女士们佩戴，一定非常时尚。

这个巨大的商机使商人甚为激动："老人家，这些草编多少钱一件？"

"5 比索。"老人答。

"太好了！"商人在心里喊了一声："在巴黎，我卖 30 比索一件也只能算个普通价，这样一件我便可以赚 6 倍的钱！"

想到这里，商人情不自禁地眉开眼笑起来："那么，如果这草帽和花篮我各要 10 万个呢？你能便宜多少？"

"哦，便宜不了，我会涨到 20 比索一件。"老人平静地答道。

"为什么？"商人吃惊地大喊道。"你说为什么？"老人生气地反问道，"如果做 20 万件一模一样的草帽和花篮，我会除了乏味之外，感觉不到任何乐趣的！"

老人的话让沉迷于追逐财富的商人更糊涂了，他实在不明白，面对巨额金钱，贫穷的老人为何如此固执。但是，谁说老人不比商人更明白快乐无价的人生真谛呢？

大道理 金钱固然是生活不可或缺的"帮手"，但快乐却是生命的"组成部分"。用前者换后者，当然是笔划算的买卖，而用后者换前者，则是在做赔本生意。

11. 坏消息与好消息

罗伯特刚赢得了一场比赛，并拿到了这场比赛的奖励——一张大额的银行支票。

当走出比赛现场时，他看见一位年轻的女郎满脸忧郁地向他走来："先生，您能帮帮我吗？我的孩子正躺在医院里，他得了重病，就快死了。我却没有钱为他治病。你能帮帮我吗？"说着，女郎流下了眼泪。"噢，这是我一周以来听到的最坏的消息。"说着，罗伯特便在刚刚拿到的支票上签上名，然后交给女郎道，"快拿去吧，希望上帝保佑你可爱的孩子。"

晚上吃饭时，罗伯特跟朋友谈起此事，朋友吃惊地说："哎呀，你被骗了，那个女人根本就没有孩子！她只不过以此为生，不知骗了多少人。"

"也就是说，根本就没有得重病的孩子？"罗伯特反问道。

"是啊。"朋友回答。

"哦，"罗伯特长出了一口气，"这可真是我一周以来听到的最好的消息。"

这句震撼人心的话传来传去，后来竟然传到了那位骗子女郎的耳朵里，她立刻因这句话愣住了，继而满面泪痕，下决心痛改前非。后来，她成了当地非常有名的女慈善家，专门帮助那些因为贫穷而濒临死亡的苦难儿童。

大道理 金钱固然不能解决许多根本性的问题，比如延长寿命、买来真情等等，但是它却能折射出人们的心灵，呼唤出人间真情。

12. 金钱与健康

石油大王洛克菲勒在33岁时，赚到了他人生的第一个100万；43岁时，建立了世界上前所未有的最大的垄断企业。但是53岁时他怎么样了呢？——非常不幸，烦恼把他压垮了，高度紧张的生活节奏严重损害了他的健康，他看起来瘦弱枯干，机械呆板，简直就像一具活的“木乃伊”。

没办法，洛克菲勒只好暂停手里的工作，毕竟没有什么比生命更重要。为了挽救这位石油大亨的生命，负责任的医生们商量过后，给他立下了3条规则，并要求他无论何时都必须遵守：

一，避免烦恼。在任何情况下，绝不为任何事烦恼。

二，放松心情。多在户外做适当运动。

三，注意节食。随时保持半饥饿状态。

洛克菲勒的后半生一直奉行这三条原则。他从事业上退休，学习高尔夫球，和邻居、朋友们聊天、唱歌；他开始反省，思索自己的财富到底能换取人类多少幸福；他捐助教会，帮助芝加哥大学成为举世闻名的名牌大学；他还帮助黑人，成立了国际性的基金会——洛克菲勒基金会，并且一直致力于消灭世界各地的疾病、文盲与无知。

做了这一切以后，洛克菲勒怎么样了呢？没错，他十分快乐，非常满足！他终于尝到了幸福的滋味，不再受烦恼的侵扰。

人们评价他说：他死于53岁，却活到了98岁。

大道理 健康是1，财富、名誉、事业等等都是0。1存在的前提下，0越多越好，越多价值越大，但是1一旦不存在，0再多也将没有意义。

13. 钱币和烧饼

这年夏天，一场空前绝后的洪涝灾害发生了。村里的人忙不迭地收拾东西往外逃，可是由于水势凶猛，绝大部分人都被淹死了。最后，只有一个钱币商和一个卖烧饼的小贩爬上了村后的小山头。其中钱币商背了一口袋钱币，烧饼商背了一口袋烧饼。

一天过后，洪水依然不见减退。钱币商饿得受不了了，于是找到烧饼商向他买烧饼，说愿意1个钱币1个。若在平时，这个价位一定会让烧饼商大喜过望，可是现在他却板起了脸。

“不行，现在是非常时期，我要你用那一口袋钱币来换我这一口袋烧饼。”烧饼商盯着对方那一口袋钱币，贪婪地说。

“没问题。”钱币商想了一下说，“可是你必须答应我，如果我把这些钱币全给你，你也得把那些烧饼全给我。”

烧饼商答应了。

就这样，两人互换了手里的东西。烧饼商一辈子也没见过这么多钱，简直乐开了花，他不断地把钱币掏出来数着，然后再装回去。一次、两次……不知不觉中，一天过去了，看看山下的水还没有退，烧饼商开始慌了，因为他已经很饿了。但是为了保住那一整袋钱，他决定坚决不再去换烧饼。

但是3天过去了，洪水依然没有退，快要饿死的烧饼商终于妥协了，他请求用这口袋钱币换回数量已经不太多的烧饼。

“不行，”钱币商坚决地拒绝道，“你只能一个一个地买，10个钱币1个烧饼。”

无法忍受的饥饿迫使烧饼商答应了这个条件。

当洪水完全退去时，烧饼已经一个不剩了。但是那一整袋钱，却又一个没少地回到了钱币商的手中。

大道理 无论对于谁，最大的财富都是智慧与思想。钱币只是代表财富的一种符号，而能明辨局势和作出正确决策的大脑却是创造财富的机器。

14. 幸运与幸福

奥地利女孩韦格，天生丽质、聪慧可人。1987年，世界小姐大赛前夕，她正在一所大学里专修油画，当时她的男朋友正在为她筹备个人画展。可是由于两人都是学生，并且家庭条件都不算富裕，画展的资金成了大问题。当听到世界小姐的初赛奖金就高达5000美元时，男友鼓励她去试试。她去了，并且一路走到拉斯维加斯，摘取了当年世界小姐的桂冠。丰厚的奖金令韦格喜不自禁，她想立刻开办个人画展，但是很显然，她已经不再需要靠画展扬名了。她很想找回和男友以前的缠绵浪漫，可是见惯了富丽堂皇的她突然发现男友再也给不了她所希望的浪漫感觉了。身为世界小姐的她，早已经站在了荣耀、财富与大红大紫的顶端。

可是上帝永远不会把所有的幸运都给一个人，正当事业如日中天时，韦格患上了一种名叫克里曼特的慢性综合症。没过多久，她的视力就开始慢慢衰退，双眼开始模糊，再后来，她几近失明了。

世界小姐患病的消息一传出，许多人都开始行动起来，一位南非的小男孩给韦格寄来了一包土，声称他们当地的人都用这种土治病。虽然韦格并不相信这包土，但还是怀着姑且一试的想法用了，没想到奇迹居然发生了，她的双眼迅速恢复了健康。

不久之后，由于一位美国富翁不停地大献殷勤，韦格嫁给了他。但是这段婚姻并未给她带来什么幸福，还不到一年，他们便走到了缘分的尽头。

再后来，为了寻找到自己想要的幸福，韦格一嫁再嫁。6 次之后，她对婚姻和男人彻底失望了，于是，她选择了自杀。

大道理 幸运和幸福是孪生儿，却非连体儿。你可以用自己不喜欢的方式幸运地赚到财富，也可以用自己不相信的药方幸运地治好疾病，却无法从自己不爱的人身上获得幸福。

15. 洪流中的富翁

连续下了几天的大雨之后，山洪突然暴发了，转眼之间，滔滔的洪流便淹没了小镇。镇上的居民们赶紧爬上各自准备的小船，向远处疾划。

浩浩荡荡的船队尾端，一位富翁正一边命仆人快划船一边迅速系着钱袋。猛地，一个大浪扑过来，富翁的船翻了。仆人在大浪中扑腾了几下，便沉入了水底。富翁则一手抓钱袋，一手抓住了正从身边漂过的一块木板。靠着木板的浮力，他挣扎着向前游去，眼看就要筋疲力尽时，一位划着小船的青年在远处若隐若现。

"救命啊！救命啊！"富翁忙不迭地大喊道，"小伙子，快点往这边划。"

青年显然听见了富翁的"救命"声，只见他挥开双臂，用力划起桨来。可是洪水实在太急了，无论他如何努力，小船还是十分缓慢地行进着。

“快点划啊！”富翁急切地大喊着，“如果你救了我，我就给你100个金币！”

青年一听，果然更加用力地划起船来，可惜船速依然缓慢。

看看湍流越来越猛，富翁又喊道：“快点啊，我会给你300个金币！”

不知为何，喊完这句话以后，青年的小船似乎更慢了。

“500个！500个！”就快支撑不住的富翁再次提高了价码。

一分钟之后，小船就要到达富翁的身边了，可是青年突然停止了摇桨。

“我给你1000个金币！拜托你快点！”富翁呛了一口混水后大喊道。

可惜不等青年再次发动小船，一个猛浪便把富翁以及他的钱袋全都卷得不见了踪影。

颓丧的青年立刻瘫到小船上大哭了起来：“我原本想，再慢一点就可以多得到一些金币，谁知结果竟然会这样！我本来是要救他，怎么反倒成了害他呢?!”同时他又感觉有些费解，“当我心里只有‘义’而无‘利’时，他为什么突然要说给我钱呢？到底是我害了他还是钱害了他呢？”

大道理 金钱是衡量人类欲望的尺度，把尺度当成尺度所衡量的事物，并将私欲建于其上，人便成了贪婪者。金钱能诱使人庸俗，当庸俗地认为金钱万能时，人便成了愚蠢者。这两种人，都既害人又害己。

16. 请标出您的土地

古希腊时期，一位不知天高地厚的富翁常常到处炫耀自己的土地广大，财富无穷。

某天，他遇到了大哲学家苏格拉底。为了让这位人人敬重的“精神富翁”也羡慕自己，富翁又拿出了一惯的“看家本事”。

他刚夸耀完自己，苏格拉底便以极其羡慕的口气说道：“是吗？我可真是太羡慕你了！快给我拿张世界地图来。”

富翁得意洋洋地让仆人找了份世界地图给苏格拉底，然后不解地问道："你要世界地图干什么？"

苏格拉底依然装成羡慕的样子说道："您如此的富有，我怎么会不想知道您广袤无比的土地在哪里呢！快，快在地图上标给我看。"

尴尬无比的富翁张口结舌地说道："你这不是开玩笑嘛，这是世界地图啊，我的地产怎么可能在这上面找到呢？"

"啊？"苏格拉底故作失望地大声说道，"这么一大张地图你都找不出你的地产所在，那你干嘛还如此夸耀呢！"

大道理 为了引起别人的重视或羡慕而向对方炫耀自己的财富，其实正是一种贫穷的表现。要知道真正的富翁，从来都是大脑充实、口袋饱满，嘴巴却紧闭的人。

17. 珍珠的命运

他是一位渔民，靠打渔挣的那点钱养活一家老小六口人，日子过得穷困又潦倒。

某天，他一如既往地收网时发现捞上来了一只大蚌，想想一两只蚌也没法卖，他便把蚌捡出来，打算拿回家去给小儿子玩。为了防止蚌壳夹住孩子的手，他找块石头把蚌壳砸开了。不想蚌壳刚刚被敲开，一道夺目的光彩便射了出来。"珍珠！"他顿时倒吸了一口冷气，一颗鸡蛋般大小的大珍珠呈现在了他的眼前！握着这颗十分罕见的巨大珍珠，渔民欣喜至极，都快要喘不上气来了。"发财了，我发财了，我再也不用过以前那样的穷日子了……"渔民一边喃喃自语，一边陶醉地抚摸着这颗改变全家命运的大珍珠。忽然，他发现珍珠上有一个小小的暗色斑点，虽然不仔细看注意不到，但一旦看出来就让人感觉无法忍受——如此一颗硕大而美丽的珍珠，怎么可以有一点点瑕疵呢？它应该是完美的！

为了让珍珠更完美，卖得价钱更高一些，渔民返身从船舱里拿出了一把水果刀，他准备修一下这颗宝贝。只见他小心翼翼地转动着珍珠，把带暗斑的表层轻轻削了去。不想一层之后，暗斑还在，于是他狠狠心，又削掉了第二层。原以为这下足够把那点瑕疵去掉了，谁知对着阳光一看，淡淡的杂质犹存，所以渔民不得不第三次拿起了刀子……

珍珠上的暗斑终于完全消除了，大功告成的渔民喜不自禁地放下了刀子。但在摊开手掌的一瞬间，他愣住了——这是刚才那颗硕大无比的珍珠吗？怎么会只剩下绿豆般大小了呢？当看见脚下那一层一层的珍珠粉末时，渔民猛地把手中就快一文不值的珍珠扔了出去。然后，他瘫坐在船头大哭起来，再然后，他便一病不起了。

临终之前，他拉着妻子的手懊悔不已地说："如果当初我不去计较那一个小小的斑点的话，一定不会落到今天这种地步……"

大道理 过分追求完美，刻意挑剔，我们只会失去更多乃至全部。宽容地把某点瑕疵看做其独有的"特点"，我们才能体会到一种独特的幸福。

18. 孙中山求见张之洞

清朝光绪年间，当孙中山还是刚刚从日本留学回来的年青人时，张之洞已经是两广总督了。地位如此悬殊的两个人，是如何成为无话不谈的好朋友的呢？原来，一切皆因布衣孙中山"可傲王侯"的才华。

那天，孙中山路过武昌总督府，很想去拜会一下名满天下的才子总督张之洞，于是便让守门人传进一张便条去，上写："学者孙中山求见张之洞兄"。

不想当时张之洞午休刚醒，不愿见客，因见便条上直呼自己为"兄"，便疑惑地问守门人来者何人，守门人答："一位书生。"

这下，张之洞不高兴了，他提笔便在条上批道："持三字帖，见一品官，白衣尚敢称兄弟？"

守门人把便条退还给孙中山后，孙中山微微一笑，随即在批文下对道："行千里路，读万卷书，布衣也可傲王侯。"

这次，守门人把条子传进去后，张之洞只说了一个字："请!"

大道理 才华是一个人最大的财富，也是他自信的不竭源头，因此，对于拥有真才实学的人来说，即便身无分文，也照样敢傲视天下。

19. 习惯了幸福

在又破又慢的老式列车上摇晃了十来个小时之后，黎明来临了，几个睡眼惺忪的男士一起挤到洗手池旁边，进行着惯常的洗漱。因为彼此互不相识，所以大家都沉默着。但有一位年轻的男士却和大家不一样，他一边用手理着乱蓬蓬的头发，一边微笑着冲每个人道“早安”，尽管几乎没有人以微笑来回报他，甚至还有人连理都不理他，可他一点儿也不觉得尴尬，还是那样坦然而明朗地微笑着。

一刻钟之后，这位微笑的男士回到了他的卧铺位上，哦，原来他是我的邻铺。我双手交叉垫在头下，大睁着眼睛看着火车的顶部，开始思考一会儿就要见到的客户，思考着如何更顺利地签下这个订单。那个客户可是有名的“冷血动物”，据说除了钱，他对谁都没有笑过。但是一阵接一阵的歌声扰乱了我的思维，我有些恼怒地抬头四望，发现唱歌的正是与我邻铺的男士。他手里拿着一本管理之类的书，边看边旁若无人地哼着歌。

“喂，你好像很得意啊?”我以冷冷地、带着几分讽刺的口吻对他说道。

“对，你说得没错。”他一骨碌坐起来，像是终于找着聊天对象似的回答道，“我的确很得意，我感觉很愉快，幸福的一天又开始了。你看，今天的阳光多好啊，看着就让人心里舒坦……”

我挥手打断了他的滔滔不绝：“天底下哪有这么多让人轻松的事!”

“当然有啊，如果你把‘觉得自己很幸福’这件事养成一种习惯的话!”他得意地回答我说。

这句话给了我很大的震撼。“把‘觉得幸福’养成习惯?”我略带疑问地重复道。

“是啊，原来我也不是很乐观，自从一位老人告诉我这个秘诀后，我一直尝试着去做。最后，我终于成功了。你看看今天的我，是不是一个很乐观的人?”他扬了扬眉毛说，表情就像一个涉世未深的孩童。

他的微笑拨动了我的某根心弦，我不自觉地跟着微笑起来，是啊，今天的天气看起来的确让人很舒坦。

那天下午，比想象中更顺利地，我签下了那个大额订单。再后来，我征服了那位“冷血动物”客户，和他成了好朋友，我发现他挺喜欢笑的，一点也不像别人所说的那么“冷”。不知道这是不是那个“秘诀”的作用，反正我是把那几个字又传给了他。

大道理 习惯能像机器那样准确而迅速地完成任务，既然如此，把“觉得幸福”这件事养成一种习惯，幸福就会真的与我们长久相伴。

20. 只赚不赔

她是一位典型的贤妻良母，自打结婚之后，她就再也没有工作过，整天全心全意地相夫教子。可是现在，考上初中的孩子已经寄宿到学校了，忙于事业的老公又很少在家，偌大一个房子里，就剩下她一个人晃来晃去的。时间一长，她觉得自己快要疯了。

“老公，我感觉不快乐，我要做点儿事情。”她忍不住给老公提到。

“那你就去亲戚家串串门啊，要不就找几位和你一样的朋友打打麻将。”老公建议道。

她按照老公的建议做了，可是不到一个月，能串门的亲戚都找完了，打麻将的人也总是凑不齐，日子依然无聊、乏味。

怎么办呢？她神情黯然地思索着，忽然，街道上一阵阵的吆喝声提醒了她，“对，我可以自己开个小商店，卖点儿日常用品啊！”

几天后，一家临街的小商店开张了。坐在柜台后面的她一改原先的慵懒模样，变得热情积极起来，虽然顾客不多，每天的交易额不大，但她还是感觉异常满足，异常开心。

两个月后，她按照账本算了一笔账，结果发现自己非但没有赚钱，还赔进去了几百块。她很郁闷地把这个结果告诉了老公，问他该怎么办。

“什么怎么办？接着开啊！”老公不明白她为什么会提出这样的问题来。

“可是我一直在赔钱呀。”她嘟囔道。

“不，你没有赔，你赚了一大笔！”老公笑道，“只不过，你赚的不是钱，而是快乐！想想看，如果去健身房、俱乐部、保龄球馆等地方消费，这两个月得花多少钱啊？况且，还不一定像开商店这么轻松。几百块钱买来两个月的快乐，值！真值！”

听到这里，她的脸上顿时堆满了阳光般的笑容。

大道理 再辛苦的赚钱，也是为了换来快乐。倘若能够直接赚到快乐，岂不是最好的盈利？当然，这有一个前提：我们已经解决了温饱问题。

21. 最富有的时候

富有是什么？是有钱吗？最富有是什么？是钱最多的时候吗？如果这两个问题你的回答都是肯定的，那么请你来看下面的故事。

一位资产逾千万的房地产开发商，在请老朋友们吃饭时，提到了自己早年的苦日子。他说，自己原本是位打工仔，从16岁开始就背井离乡地满世界闯荡了。在未发迹之前，自己曾经睡过街头、捡过垃圾、修过马路、扛过水泥，最惨的时候，是靠卖血度过的。

“那现在一定是你最富有的时候了？”富翁刚说完，一位年纪较轻的朋友便开口问道。

“哦不，绝对不是！”富翁立刻摇了摇头，“我最富的时候是在20年前，刚到广州打工满一年的时候。那个年底，我领到了宝贵的150元工钱。我用它给母亲买了一包点心，给妻子买了一条真丝裙子。虽然回到家时，我已经身无分文，但是我依然自豪之至，因为我有能力为自己最亲最爱的人买来快乐。现在，我的确什么都有了，但是当年那种富有的豪气，却消失得无影无踪。”

看来，一个人最富有的时候，并非是在他钱最多的时候，那会是在什么时候呢？美国的一位亿万富翁给了我们一个绝妙的答案。

这位富翁同时也是个慈善家，25年中，他一直在匿名捐款，总额高达2亿7千万美元。前年，当那家慈善机构第十次接到巨额捐赠时，终于忍不住找到了他——格雷斯·佩琪，新泽西州的一位糖果商。

声名鹊起之后，各大媒体的记者纷纷前来采访。当被问及“你都是在什么情况下捐款”时，格雷斯回答“在感觉最富有的时候”，而什么时候是他感觉最富有的时候呢？他给出的答案是“在我想捐赠时。”

原来，金钱代表着富有，但拥有无数金钱的人，却未必是真正的富翁。只有当他有能力付出，并且实际上也在付出时，“富有”的感觉才会真真切切地降临到他的心里。

大道理 给得起，才是真正的富翁，因此一个人最富有的时刻，莫过于他付出的时刻。而吝啬者们，不过是占有一堆数字符号的穷人，因为他们什么都拿不出。

22. 守财奴的彻悟

他是一个典型的守财奴，无比吝啬地过了一生之后，他存款上的数字终于涨到了 1000 万。但是随着存款的增长，守财奴也渐渐老了。某天，死神突然降临，宣布要收回他的生命。

“天哪，我还没有好好享受过人生呢！我这一辈子，除了攒钱什么都没享受过，没吃过山珍海味，没穿过绫罗绸缎，没住过豪华洋房，甚至因为太节俭，连儿女都得罪了，天伦之乐都没享受过！”守财奴痛哭流涕地向死神诉着苦，然后又哀求道，“再给我一年活着的时间吧，我要好好享受一下生活。”

“不行！”死神满脸的冷酷无情。

“我可以把我财富的 1/10 给你！”守财奴狠了狠心说。

“不行！”死神还是重复着那句话。

“那 1/5 好不好？哦不，1/3 吧，一半也行！”守财奴以为死神嫌钱少，于是急忙往上涨着数字。

“多少都没用，你的寿命到了，快跟我走吧！”死神还是一点表情也没有。

“那我把全部财产都给你好了！拜托再给我一点时间吧！”守财奴哭了起来。

“不行！”死神照样拒绝到。

“那，那请你给我一分钟的时间吧，我要写份遗嘱。”绝望的守财奴提出了最后一个请求。

这回，死神答应了。

于是守财奴用颤抖的双手写下了这么一行字：“请记住，你所有的财富都买不来一天的时间。”

大道理 真正富有的人从来都是用时间而非金钱来衡量事物的价值，当你认识到时间的宝贵并用心去珍惜时，你必将会变得更富有——在时间上，也在金钱上。

23. 农夫的诅咒

很久以来，农夫一直在为自己的生计发愁，因为他虽然整日披星戴月地忙碌，可就是入不敷出。最让他头疼的是那五个儿子，儿子们眼看着一天天长大，虽然越来越能帮自己做活儿，可是每个人的饭量都大得惊人，弄得他每天都为数量有限的柴米油盐担心。

转眼之间，一年又过去了，眼看就快过年时，农夫才发现几经债主催债后，自己数月来的辛苦积蓄已经所剩无几。

郁闷之下，农夫坐在门槛上暗自琢磨起来：为什么自己会这么穷呢？是什么导致了自己现在的困境呢？冥思苦想了许久，他忽然眼睛一亮：对，是金钱！那些富人们之所以能过上那样舒适无比的生活，不就是因为他们有钱吗？只要有钱，人们就可以整日花天酒地、吃喝玩乐。而自己之所以会如此烦闷，就是因为没钱。

可是刚想到这里，另一个问题一下子就把农夫困扰住了：不对啊，自己每日操劳不止，到如今怎么会落个连温饱都无法解决呢？而那些有钱的人，也没见到他们有多辛苦地经营劳作啊？

想啊想啊，农夫终于得出了一个结论：金钱是恶魔，是罪恶的起因，是贫穷的根源，所以应该受到诅咒。想到这里，他立刻起身把家里仅有的一点钱翻了出来，然后画了道符贴在上面，妻子儿子一动他就大喊：“别动，那是魔鬼！”

就这样，农夫一家在饥寒交迫中度过了大年夜和年初一。再后来，农夫在“恶魔”金钱的折磨下变得疯疯癫癫起来。而他们家的日子，自然比以前更加艰难了。

可惜的是，什么是罪恶的真正起因？什么是贫穷的真正根源？一直到疯，农夫也还是没有想明白。

大道理 金钱并非恶魔，它本身没有罪恶，也不是贫穷的根源。只有对金钱贪婪无度才是罪恶的起因，对取财之道愚昧无知才是贫穷的根源。

24. 五金店老板

小镇上有一个五金店，店老板从事这行已经20年有余，生意一直不错。但令人奇怪的是，就是这样一位“久经沙场”的老商人，居然对会计业务一窍不通。他从不用账簿，而只是把支票放在一个棕色的大信封里，把现金放在面前的抽屉里，把快到期或已经到期的账单插到柜台上的票插里，以便随时查阅。

某个休息日，做会计师的儿子回家来看他。当看到父亲居然还在用这样一种方法理财时，他忍不住说道：“爸爸，我实在搞不懂你是怎么记账的，这样的话你根本无法核算成本和利润。我来为你设计一套现代化的会计系统吧，它能帮你准确而快速地计算出……”

“不必了，孩子，我心里有数。”不等儿子说完，老父亲就打断了他的话，“你祖父是个农民，他去世时，只留给了我一条工装裤和一双鞋。我离开农村以后，跑到这个小镇上，辛勤劳作了数年，才开起了这家五金店。可是今天，我有一个妻子和三个孩子，你哥哥当了律师，你姐姐做了编辑，你成了小有名气的会计师。我现在和你妈住在一所很不错的房子里，我们还有两部汽车。这家五金店全部属于我，而且我不欠别人一分钱。”

说完这些，老父亲静静地看着儿子，半晌，他才接道：“我的计算方法很简单，把这一切加起来，扣除那条工装裤和那双鞋，余下的都是利润。”

大道理 衡量得与失的标准不要从最大的顶数开始，而要从最小的基数开始。这种计量方法不仅会使你得到物质，还会使你得到快乐与幸福。

25. 牵蜗牛散步

由于工作过于繁忙，这个年轻人一直感觉日子过得不甚如意。一天，他跑去责问上帝："为什么我这么辛苦地工作，还是不能过上舒心满意的日子呢？"

上帝想了想，从身边捏出一只大蜗牛，告诉他说："我交给你一个任务，你每天都拿出一个小时来牵着这只蜗牛散步，不管怎样也不要放开它。如果能做到这一点，你的生活就会舒心满意起来。"

于是当天，这个人就按照上帝的要求，牵起蜗牛散步了。

可以想见，问题很快就出现了——年轻人平常忙习惯了，干什么都喜欢快速行动，而蜗牛则是种行动缓慢的小动物，而且即便它竭尽全力地爬，相对于年轻人的速度来说，也照样相差十万八千里。

急躁之下，年轻人不停地催促着蜗牛，大声地喝斥着它、责备着它，可是蜗牛却只回以抱歉的眼光，仿佛是在说："人家已经尽了全力！"最后，急不可待的年轻人用柳条抽打起蜗牛来，不料受了伤之后，蜗牛前进的速度更慢了。

终于，年轻人失去了耐性，他气喘吁吁地坐在地上，开始奇怪上帝为什么会让它牵一只蜗牛去散步。"我性子这么急，这对于我来说简直就是一种折磨，对于蜗牛来说更是折磨！"他自言自语道。

"上帝！上帝！"年轻人冲天上大喊着，可是天空却一片宁静，连声回音都没有。

"唉！也许上帝也牵着蜗牛散步去了吧！"年轻人郁闷地想，然后一甩手就把牵蜗牛的绳子丢在了地上。

看着蜗牛摇摇晃晃地往前挪动，年轻人忽然想看看蜗牛会爬到哪里去，于是他便轻轻地跟在了蜗牛后面。

突然之间，他闻到了一阵花香，直到这时，他才知道路旁有个小花园。接着，他感到有微风吹来，温柔地抚摸着他的脸颊。再接着，他听到了鸟叫、虫鸣，看到了满天亮丽多姿的星斗。这些可都是忙碌的他从前没有察觉到的。

“啊呀，生活原来是这么美好啊!”他不由得感叹道，然后他便明白了：原来上帝根本不是让他牵蜗牛散步，而是让蜗牛牵他去散步!

大道理 生活并不缺少美好，是过分忙碌使我们忘记了去感受。适当的休息，合理的劳逸结合，我们才可能既做好工作，又充分享受生活。

26. 商人和驴子

商人和儿子赶着驴去集市上买东西。

刚走出不远，在路边田地里干活的一群妇女便冲他们喊：“你们傻不傻啊，有驴不骑却走路!”

商人一听有理，连忙让儿子骑上了驴，自己则高兴地跟在后面走。没过多久，他们遇上了几位赶集的老人，老人一看到商人走路、儿子骑驴的情景，立刻捋着胡子大声叹息道：“唉，这世间真是人心不古啊，年轻力壮的儿子骑着驴，却让自己的老父亲走着。你们看这个年轻人，不正是不孝的典型吗?”此话一出，其他老人立刻“就是，就是”地附和着。

商人一听这话更加有理，于是便让儿子下来，自己骑到了驴上。又走出两三里地之后，一位抱着孩子的妇女很奇怪地问商人：“你也太狠心了点吧?怎么能自己骑驴，让你可怜的儿子跟在后面走呢?摊上你这样的父亲，你儿子真是太不幸了!”

听了妇女的话，商人感觉委屈极了，但为了不让对方再笑话自己，他立刻把儿子也抱到了驴背上。谁知刚走几步，一位市民就大声地问他们：“朋友，这头驴不是你的吧?”

“是我的啊，怎么了?”商人惊讶地反问。

“天哪，既然是你自己的驴，你干嘛要这么折腾它呢?你看可怜的它都快被你们压死了!”市民同情地说道。

“那你说我们该怎么办呢?”怎么着也不行的商人问市民道。

市民一听，立刻开玩笑道："你们应该抬着它走路才对！"

"啊，这可真是个好办法！"商人大喜过望，然后从路边找来了一根粗棒子，把四蹄捆好的驴抬了起来。10 米、50 米、100 米……没走出一里路，商人和儿子便都累得筋疲力尽了。可是当他们停下来休息时，却发现后面跟着一群看热闹的人，其中有些还唧唧喳喳地议论着："真是两个大傻瓜！""就是，这种走路法也太奇怪了点！"……

"我怎么样你们才肯满意！"商人委屈之至，一屁股坐在地上大哭起来。

也许他永远都不会明白，只有一直按照他最初的方式走路，人们才可能最满意！

大道理 不要活在他人的舆论中。正所谓"众口难调"，如果有谁妄想做到"人人都满意"，他只会遭遇一种结果——自己过得不开心，周围人也都不满意。

27. 一道数学题

儿子事业有成，对金钱的追求程度也与日剧增，父亲一直想找个机会开导开导儿子。

某天，儿子回家陪父亲吃晚饭。饭后，父子俩聊了起来。

"儿子，我给你出道数学题，不知你有没有兴趣。"父亲对儿子说。

"想当年您儿子可是班里数一数二的数学尖子，您说吧。"儿子拍拍胸脯回答。

"那你听好了，一辆载着 233 名旅客的列车驶进车站，下了 65 人，上去 76 人。"

一听是这种题，儿子立刻不屑地翘起了二郎腿。

父亲瞅瞅儿子，接着说了下去："在下一站下 54 人，上 96 人。"

儿子的嘴角挂了一丝微笑。

"在再下一站下去 98 人，上来 75 人。"父亲还没有要停下来的意思。

"再下一站下 54 人，上 76 人；再下一站下 95 人，上 104 人；再下一站下79人，上43人。”父亲努力把每个数字都说得清清楚楚。

这时，儿子似乎失去了耐心，只见他皱着眉头问道：“您说完了吗？”

“别急，你可要听仔细了。”父亲挥挥手说，“列车继续往前开，到了下一站，下了12个人，上了9个人；再下一站，下了6人，上了7人……最后，列车终于到达了终点站……”

这时，儿子站了起来，满不在乎地说：“您是想马上就知道车上一共下来多少人、上了多少人以及最后还剩下多少人吧？那我告诉你，一共下来……”儿子非常准确地报出了数字，比计算器还快。

看着不耐烦的儿子，父亲微笑着说道：“不，我是想问你，这趟列车一共停了多少站？”

顿时，儿子呆住了。显然，他不知道答案，并且也根本没有料到父亲最后问出的会是这个问题。

这时，父亲的态度忽然严肃起来，他对儿子说道：“人活一辈子，不应该只计算赚多少钱、花多少钱以及能攒多少钱，否则，你就会错过许多景色和细节，错过实实在在的生活，更错过快乐与幸福。孩子，你可千万别因为太计较金钱的得失，而忘记了人活着的意义啊！”

大道理 人活一生，并不只是为了称得重量，更是为了检测质量。金钱固然重要，却只能代表活着的数量，过分看重金钱，人就会忽略生命的真谛，失去更珍贵的快乐与幸福。

28. 百万富翁与乞丐

他是一个百万富翁，有一所豪华的别墅。

每天下午，当他习惯性地站在窗前眺望时，总会发现自己别墅门前的长椅上坐着一个衣衫褴褛的流浪汉。而那人，也总是盯着他的别墅看上好长时间。

很多天过去了，那个人还在这样做。于是富翁不禁产生了极大的兴趣，他很想知道，到底是什么原因引得那个人每天都盯着自己的别墅看上好长时间。

一天下午，富翁走到那人面前，很友好地问道："您能否告诉我，您为什么每天都盯着我的别墅看上好长时间呢?"

那人看着这个从别墅里走出来的人，满眼都是抑制不住的羡慕："先生，我每天都只能睡在这条长凳上，但是您知道吗？我每天晚上都会梦见住进了您的别墅里。"

顿时，富翁被流浪汉的执著打动了，只听他动情地说道："你的愿望很快就会实现了，我决定，让您在我的别墅里住一个月。"

流浪汉一听，激动得眼泪都快掉下来了，他立刻站起来跟着富翁走进了梦想中的别墅。

可是几天后，当推开为流浪汉准备的房间门时，富翁却发现流浪汉已经不在了。他去哪里了呢？富翁想着，又走到了窗前。结果，他再次从门前的长椅上看到了一边呆坐、一边凝望自己的别墅的流浪汉。不解之下，他走上前去问道："我已经让你实现了心中的梦想，可你为什么又搬出来了呢?"

那人面带感激地回答："因为当我睡在长凳上时，我会梦见自己睡在豪华的别墅里；可是当我睡在别墅里时，却总会梦见又回到了长凳上。那真是太可怕了，以至完全影响了我的睡眠!"

大道理 幸福的真谛，并不在于通过努力得到快乐，而在于从努力中发掘出快乐。因为相对来说，从不幸之中挖掘到的幸福，往往比从幸运之中挖掘到的幸福更让人快乐。

29. 失去双腿的人

他曾经开过一间杂货店，但两年以后，他非但没有挣到钱，还把所有的储蓄都亏掉了。除此之外，他还负了好大一笔债务，看样子得七八年才能还清。当走出那间杂货店时，他已经失去了一切信念和斗志，连走路都像是一个受过严重创伤的人。

迫于生计，他开始和许多人一样满大街去找工作，结果却是处处遭拒。

某天下午，他漫无目的地走着，想到了自杀，他觉得只有那样，自己才能从目前的困境中解脱出来。他坐在路边的长椅上，开始扫视周围自己所熟悉的一切。想到再过一会儿自己就将与这个世界永别了，他不由得鼻子一酸。

猛然间，他看见一个没有腿的人走在路上。哦，那怎么能算是走呢！那个人是坐在一个木制的装有轮子的大托盘内，用双手撑着木棒，沿街推进。

两人越来越近了，那个人忽然主动向他微笑着打招呼："您早，先生，多好的天气啊。"

坐在长椅上的他似乎受到了感染，也努力地朝那个人微笑着，并且回答道："你早，是啊，天气真的很好。"

说完这句话，他的心忽然一震，是啊，多么好的天气啊。而再看一眼那个人，他又感觉自己是多么的富有啊——"我健全，有两条腿，却因为受到一点打击便失去了快乐；而他残疾，一条腿都没有，连'走'路都不能，却活得那么快乐。"他喃喃自语道，并感到自己的世界渐渐开阔了起来。

现在，他已经有勇气去面对失败了，并且开始相信自己能找到一份满意的工作。最后，他真的找到了工作。数年之后，他靠着积蓄和银行贷款，又开始了新的事业。

当晚年来临，他准备出版自己的回忆录时，他在扉页上加上了这么两行字：

我忧郁，因为我没有鞋。

直到有一天我遇见一个人，他没有脚！

大道理 请享受你所拥有的一切，包括苦难。因为它们都是你的财富，即便是缺点和遗憾，只要适当加以运用，你就能从中得到快乐、领悟到人生。

30. 致富秘诀

今天的小故事是一道数字题，我想请大家跟我一起来计算它。

一个刚步入社会的年轻人，如果他每年都省下 1.4 万元进行投资，并且每年的投资都能获得 20%的收益，那么请问，40 年后，这个人的财富将会是多少。

先不要动笔，凭你的直觉报出大概数字，100 万？1000 万？如果我再往上加的话你一定会怀疑地摇摇头，说“不可能再多了”吧？但是我告诉你：正确答案是 1 亿零 281 万元。怎么样？这个数字是不是使你倒吸了一口冷气？

也许你会说，40 年太久了，能不能把时间缩短一点？好，我们把时间缩短为 10 年。那么现在，我再请你凭直觉报出大概数字，10 年之后，这个人的财富将会是多少呢？

我相信，有了刚才的经验，很多人都会把数字锁定在百万到千万之间。但是我再告诉你，正确的数字是：36 万元！怎么样？你是不是又吃了一惊？

10 年，40 年，两者仅相差了 3 倍，而其财富积累结果却相差了 300 余倍！这说明了什么呢？

以上这道题是华人首富李嘉诚在演讲时常常提到的一道题，他对我们最后一个问题的回答是：这说明，财富的积累会有加速度效益，也就是说，赚“后边”的钱要比赚“前边”的钱容易得多，可是，没有前边不懈的积累，又何来后边的轻松加速呢？

一般来说，凡是听李嘉诚讲过这道题和这个道理的人都会不由自主地提出一个疑问：您是怎么发现这一点的呢？

这时，李嘉诚常常会坦言一段自己的历史，他说：年轻的时候，我也曾经有过快速发财的迫切想法，直到有位长辈劝诫我：“追求财富是一项长期的事业，需要一个人数十年的坚持，不要急。”就是这句话，影响了我的整个人生。于是，我不再着急，而是开始静下心来积累。正是因此，从 20 岁那年开始置业投资，经过数十年的努力之后，我才有了今日之成就。

大道理 要想通过理财积蓄起巨额财富，我们必须保证一个前提：已经缓慢积累起了一定的基础。也就是说，追求财富是一项长期的事业，需要我们有足够的耐心，急于求成是不可行也是不可能的。

31. 雷蒙的顿悟

雷蒙是个旅游公司的老总，他很忙，很少能抽出时间来陪陪家人。女儿莎莉 7 岁时，妻子给孩子准备了一个“成长派对”，告诉雷蒙，这个派对他必须参加。不想那天他正好赶上纽约一次不能错过的谈判，查到会面之后有班飞机能够赶在女儿生日派对之前回来，他便订了票。

到了那天，谈判很是成功，一笔大单成了，雷蒙为此兴奋不已。可是当他赶到机场时，才发现飞机晚点，他根本无法按时到家参加女儿的派对了。他试着订另一班飞机，但是没成功，他无论如何也赶不回去了。无聊之下，他拨通了办公室的电话，告诉搭档弗兰克说：“会面很成功，我们会做成一笔大生意。可惜的是，我因此错过了女儿的生日派对。”言语之中透出一种深深的惋惜之情。

晚上 9 点多钟，雷蒙才满身疲惫地回到家里。刚推开门，大厅里一束摇摆的气球便呈现在他的眼前，气球上贴着一条粉红色的纸带，上面写着：“对不起，宝贝儿，我迟到了，但是我很爱你。爸爸。”

“这肯定是弗兰克的主意！”雷蒙心想，然后不自觉地微笑起来。

就在这时，容光焕发的妻子拉着兴致勃勃的女儿从餐桌后面站了出来。“爸爸，我和妈妈也很爱你！”莎莉尖叫着，看样子很是兴奋。

“生日快乐，宝贝儿！”雷蒙走到女儿面前，给了她一个迟到的祝福。

“雷蒙，这张生日卡可真有趣。”妻子的眼睛闪闪发亮，“我都不敢相信这是你让人送来的。”

“实际上，这……是弗兰克的主意。”这是雷蒙心里的声音，但是他并没有把它说出来，他真的很惭愧——这些送给妻子、女儿的话，居然是由一个根本不认识她们的人写下的，另外，他怎么忍心给心爱的妻子和女儿泼上一盆冷水呢？

雷蒙抱着女儿，手指摩挲着那张纸条，一个念头忽然在他心里形成了。

第二天早晨，他便召集全公司所有的人，宣布道：“从今天开始，公司的制度将作一些变动：工作周期是从星期一到星期四，时间是从早晨九点到下午五点，最迟到五点半。好好享受你们的生活吧，亲爱的伙伴！”

这时雷蒙看到，所有的人都费了好大的劲儿，才忍住要欢呼的冲动。一丝微笑在他的嘴边荡开，他接着说了下去，不过更像是自言自语："我的休息日也会跟大家一样，并且休息的时候我不接任何有关工作的电话。"

妻子和女儿也一定会高兴地欢呼起来，雷蒙想着。

大道理 不要为了工作而忽视了家庭和亲情，须知温暖的家庭是上帝赐给人的最好礼物。我们之所以辛苦工作，不就是为了让亲人过得幸福、快乐吗？如果为工作忽略了家庭和亲情，不啻为"本末倒置"的愚蠢行为。

32. 富商与穷夫妻

一位富商和一户穷人夫妇是邻居，刚开始时，富商很是瞧不起穷人夫妇，可是渐渐地，他开始觉得自己不如人家。这是为什么呢？原来，他虽然家资无数，却时刻都在为生意操心、算计，所以很是烦恼。而邻居夫妇虽然以做豆腐为生，囊中羞涩，却整天谈笑风生，日子过得很是舒心。

终于有一天，迷惑不解又深感眼红的富商跟太太说起了这件事，太太一听，立刻撇着嘴说道："这有什么呀，你去拿一个金元宝来，我能让他们明天就笑不出来！"

富商半信半疑地把一个金元宝递给太太，他还没来得及惊呼，太太便一抬手把金元宝扔进了邻居夫妇的院子里。

第二天一大早，勤劳的穷人妻子便起床开始打扫院子了。忽然，她在墙根处发现了那块来历不明的金元宝，于是立刻大声喊起丈夫的名字来。

3 分钟以后，夫妇两人就一起捧着那个金元宝，喜出望外地开始盘算起来：现在咱们发财了，就不用再磨豆腐了。那么，咱用这笔钱干点什么呢？盘算来盘算去，两人不约而同地想到了同一个问题：辛苦了这么多年，好不容易才得到这个金元宝，说什么也得保住它。可是，倘若被左邻右舍发现了，自己又说不出个原由来，他们怀疑自己是偷的怎么办？

于是，他们开始茶饭不思、寝食难安起来，正像富商太太所预料的那样，他们再也笑不出来了。

原来，金钱并非快乐的根源，贫穷并非愁苦的理由，欲望才是人们幸福与否的关键所在啊！

大道理 不要把金钱当作快乐的源泉，须知“财产多，烦恼也多”。金钱有时带给我们的并非快乐，而是烦恼。另外，人生一世，折磨我们的不一定是贫穷，更可能是各种各样的贪欲。

33. 丑、穷与快乐

他真是太丑了，过大的额头几乎占了整张脸的一半，过小的五官全都挤在了下半张脸上。如果不是有一丝光线射出，你几乎看不到他的眼睛，而唯一正常的嘴巴又因为其他五官的不正常而显得非常不合时宜。

他的老婆也是一个奇丑无比的人，不仅五官如鬼魅般吓人，足有三百斤的体重更是让人难以形容的臃肿。

除了丑，他们还非常穷，据说，下雨时他们都不能待在家里，因为那两间泥土房随时都有坍塌的危险。

但就是这样一家人，居然是全镇最快乐的一家人。无论男人还是女人，他们似乎都从未意识到自己的丑，走在大街上，他们总是满脸阳光地跟遇到的每一个人打招呼，声音响亮而明朗；他们也似乎从来没有意识到自己穷，每到下雨天，男人总会拖出一块大大的塑料布，大声地喊着妻子抱着儿子钻进去：“女人和孩子是不需要经历这么隆重的洗礼的，哈哈。”

终于有个人忍不住问了男人一句：“你们怎么会这么快乐呢？”

男人满脸的迷惑：“为什么不呢？我活着、我有老婆、我还有家！”

哦，就是，快乐不快乐，跟丑不丑、穷不穷有什么关系！

大道理 幸福快乐与美丑无关，也并非有钱人的专利。也许我们无法变漂亮，却可以变快乐；也许我们还没富裕起来，却无人能阻碍我们快乐起来。

34. 写支票的富翁

伊沙克·沃夫森是一位苏格兰籍犹太人，“当代最慷慨的慈善家”说的就是他。因为自打 1955 年他设立了以自己名字命名的基金会以后，在接下来的 20 年中，他已经为各个方面，主要是教育机构提供了 4500 万美元的经济资助。像英国牛津大学和剑桥大学都有的“伊沙克·沃夫森学院”，就是基于他的捐助建成的。

现在，我们该说说他的职业了。他是英国最大的百货公司——大宇宙百货公司的总裁。该公司拥有 3000 多家零售商店，同时涉及银行业、保险业、房地产业以及水陆运输业等多个行业。但奇怪的是，虽然他的职业人人皆知，大多数人却并不以“总裁”称呼他，而是称他为“写东西的”，怎么会有这么一个奇怪的称呼呢？看过下面这个小故事你就明白了：

曾经有一个人问沃夫森：“沃夫森这个家伙怎么会有这么多头衔（因为他的慈善捐助，许多大学和学院都向他颁发了荣誉学位证书）？他既是皇家外科医师学会的会员和皇家内科医师学会的会员，又是牛津大学的教会法规博士和剑桥大学的法学博士，还是这个大学的这种博士、那个大学的那种博士，他到底是干什么的？”

“他是个写东西的。”沃夫森微笑着回答道。

“写东西的？”对方反问，“写啥东西？”

“支票。”沃夫森回答。

大道理 是不是会赚钱，常常是评价一位商人成功与否的重要标准；而把赚来的钱用在哪儿，常常是评价一个人是否富有的重要标准——“如果把赚的钱都揣进自己的腰包，你就不是一个真正的富翁。”

35. 4个妻子

一位虔诚的年轻人到了该娶妻的时候，上帝来到了他面前。为了表示对他虔诚的赞赏，上帝破例赏给了他4个妻子。

对第一个妻子，年轻人并不喜欢，他一直像忘了她似的，很少去看她。但是，家中一切繁重的活计他都依赖她来处理，因此，她既得不到宠爱，又总是身负各种责任与烦恼。

第二个妻子是跟年轻人最有话说的一个。每当遇到什么心事或困扰，年轻人都会跑去找她，而她也总能替他分忧解难。所以，跟第二个妻子在一起的时间，是年轻人感觉最满足的时间。

第三个妻子长得非常漂亮，因此是许多人追求的对象。为了不让那些“虎视眈眈”的人有机可乘，年轻人一直殚精竭虑地守护着她，不但每天都去关心她，还常常在她身边甜言蜜语，并且造了幢漂亮的房子给她住。

第四个妻子是年轻人最宠爱的一位，无论去哪儿他都会带上她，而且还亲自照顾她的饮食起居等等，真可谓是百般呵护、疼爱至极。

多年后的一天，年轻人因为有非常重要的事情，需要离开故乡到非常遥远的地方去一趟。走之前，他想找一个伴同行，很自然地，他立刻想到了自己最爱的第四个妻子。

不想第四个妻子却回答他：“我可不愿意跟你去！”

“为什么？”年轻人非常惊讶地问道，“这么多年来，我们从来没有分开过，而且我一直对你言听计从，怎么你现在不愿意陪我了呢？”

“你说什么我都不可能跟你去！”第四个妻子坚决地说道。

没办法，年轻人只好去找第三个妻子。谁知跟第四个妻子一样，她也拒绝了丈夫：“我不去，连你最心爱的第四个妻子都不情愿陪你去，我为什么要陪你？”

于是年轻人迫不得已地去找第二个妻子，第二个妻子犹豫了一下说道：“你要离开我很难过，但是我只能陪你到城外，之后的路你就自己走吧！”

年轻人怎么也没有想到三位妻子都不愿意陪自己去，直到这时，他才想起第一个妻子来。当他把同样的话说给第一个妻子听时，她立刻就答应了：“不论你去哪里，不论苦乐与生死，我都不会离开你。”

这时候，年轻人已经有所悟了。想到四位妻子乃是上帝所赐，所以他把她们召到一块儿问起话来：“你们到底是谁？”

“我是人类身体的化身。”第四个妻子首先答道。

“我是人间财富的化身。”第三个妻子接着说。

“我是人们亲朋好友的化身。”这是第二个妻子的回答。

“我是人类心灵的化身。”这是第一个妻子的回答。

大道理 与物质相比，只有心灵会永远与我们同在。因此，把兴趣集中在对物质的追求上，人们只会得到暂时的快乐；而想办法让自己的心灵满足，人们才能拥有永久的幸福。

36. 淘金的花匠

彼得·弗雷特是个勤劳的年轻人，自从听说萨文河畔有人发现金子后，他便和其他的淘金者一样，带着致富梦来到了这里。

为了尽可能增大淘到金子的机率，彼得倾其所有，买下了河床附近的一块荒地，一个人默默地劳作着，日夜不息。可是埋头干了几个月之后，那一小块地已经被他挖得坑坑洼洼，金子却始终未曾出现过。

当连买面包的钱都快没有了时，彼得彻底绝望了。他明白，淘金梦破灭了，自己必须离开这里去别处谋生了。于是，他收拾好行囊，准备明天一早就上路。不想就在当天晚上，好好的天气突然骤变，然后倾盆大雨下了三天三夜都没有停。第四天，雨终于停了，彼得走出小木屋，惊讶地发现眼前的土地已经与以前大不相同——所有的坑坑洼洼都已经被大水冲刷平整，绿茸茸的小草满满盖住了松软的地表。

“这里的土地多肥沃啊！”彼得叹道。忽然，他灵机一动，心想既然这里土地这么好，我干嘛还要辛辛苦苦地跑到别处呢？不如就在这里住下，把这片地开辟成一个小花园，供人参观或者是把花拿到市场上去卖，如果真能成功的话，我一定会赚许多钱。这样一来，用不了多久，我也会变成富人了。这不同样是一种“淘金”吗？

想到这里，彼得扔下行囊，立刻动手干起来。结果正如他所想，不久之后，田地里便开满了各色美丽的鲜花。他把花挑到镇上去卖，引得那些富人们一个劲儿地称赞：“天哪，这些花开得可真好！”接着，人们便很自然地询价、掏钱买起来。当然，其中也不乏只看不买的顾客，对于这些人，彼得会热情地奉上一张写有自己地址的小卡片——把人们吸引到自己的花园里去看花，也是他的赚钱计划之一。

就这样，几年之后，彼得实现了他当年的“淘金梦”——成了一个富翁。

“黄金其实就在我们的双手里。”每当谈起成功经验，彼得便会这样自豪地告诉别人，“其他人在这里淘到黄金后便会离开，而我则是用勤劳让‘金子’重复生长。”

大道理 “人爱钱并不能成为富翁，必须钱爱人才能成为富翁。”而让钱爱人的最好方式莫过于勤奋，对于勤奋者来说，世界上遍地都是黄金。

37. 一枚硬币

两位年轻人约翰和杰克是好朋友，某天，他们决定一块儿去美国大西部打工。坐在火车上，两人不住地设想关于未来的种种，都希望能够早日成为大富翁。

下了火车，两人朝着报纸上登载的一家公司走去。忽然，路面上有什么东西闪了一下，哦，原来是一枚1美元的硬币。约翰走过去，弯腰把那枚硬币捡了起来。对于朋友的这个举动，杰克立刻表现出了鄙夷：“真没出息，一枚硬币都值得你弯腰，哪像个干大事的人！看来日后的富翁，只可能是我而不是你了！”而约翰的心里则想：“真幸运，刚下火车便捡到了‘银子’，这真是个好兆头。咦，杰克怎么连理都不理呢？难道是瞧不起一枚硬币？如果连身边的钱都让它溜走的话，怎么会干好大事，成为富翁呢？”

两人一边走一边想，不多久就到达了报纸上所说的那个地址。刚刚走进那家公司的大门，杰克便犹豫起来："这么破的一家小公司，怎么可能给我施展才能的平台，助我实现发财梦呢？"而约翰想的是："还好，公司不算大，这会有利于我应聘成功的。不管老板给多少钱，我都应该接受，先站住脚再说嘛。"

结果，约翰真的留了下来，而杰克则带着满脸的不屑走掉了。以后的日子里，约翰一直很努力地工作，老板越来越赏识他，不断地提拔他。杰克呢？为了寻找到自己梦想中的大企业和好机会，他走了一家又一家公司。几个月过去了，当身上的钱已经不够买一块面包时，他还在咬牙坚持着。

三年后的一天，两位朋友在街上相遇了。这时，约翰已经成为那家公司的副总了。顺便说一下，在老板和约翰的共同努力下，当初的小公司已经发展成了规模不小的中大型企业。而杰克，依然在接二连三地跳槽，没有找到一个可以让他稳定下来的工作。

面对双方的巨大差距，杰克立刻露出了不解之色：连一枚硬币都放在眼里的小气鬼、没出息的人，怎么会做出一番事业呢？

大道理 要想成就大的事业，必须肯从小事做起。如果只把眼睛放在大处，小的机会你就不会看到，而机会，往往是细微且容易被忽视的。

38. 阿乔的故事

阿乔出生在一个书香世家，父母甚至祖辈都是以教书为生。在正规的、传统的教育影响下，阿乔从小就知道"无奸不商，无商不奸"、"商人重利轻别离"以及"满身铜臭"等等许多关于商人品性的描述，因此，他非常瞧不起商人，也极度鄙视金钱。在他的眼中，连那些做点小生意养家糊口的人都是一些唯利是图、令人唾弃的家伙。

10岁那年，因为父亲的去世，阿乔家一度陷入了经济困境。迫于生计，母亲趁空闲时间做起了卖鸡蛋的小生意。而在母亲上课的时间里，家里的鸡蛋摊儿则是由阿乔看管的。阿乔把鸡蛋以"1角钱一个"的价格出售，结果，还不到一上午，满满两大筐鸡蛋就都被卖光了。

满心欢喜的阿乔抓着一大把零钱去找母亲，他满以为母亲会大大夸奖他一番，再赏他一袋他最爱吃的芝麻糖。谁知母亲听完他的叙述后却大发雷霆，当着学生的面把他狠狠揍了一顿——因为那些鸡蛋原本是她1角5分钱一个批发来的；在临上课之前，她曾一遍遍告诉过儿子至少要卖2角钱一个。

对于这次挨打，阿乔感觉既委屈又不屑，他悲哀地想：母亲也已经堕落成唯利是图的商人了。

多年以后，已经长大的阿乔结了婚并有了孩子。在经济委靡的年代里，他和妻子双双失业了。为了生活，更为了照顾好孩子，他们夫妇都迫不得已进入了跳蚤市场工作。

有一次，阿乔与另一位展销商进行易货交易，用一件零售价为20美元的产品换了一件只值5美元的家庭用品。当他把这件事讲给妻子阿丽听时，阿丽立刻意识到：丈夫又让别人给骗了！当时，阿丽真是气不打一处来，她告诉丈夫说："你必须找到那个人，把这笔生意重做一次。钱的差价是小事，可你必须学会不再做亏本的买卖！像我们现在这种条件，你再重蹈覆辙的话，我和孩子只能跟着你饿死！"听完妻子的话，阿乔的心里忽然闪过一丝不同寻常的滋味，他头一回意识到自己过去的所作所为是多么荒唐可笑。

第二天，阿乔真的找到了那位展销商，重新谈判了那笔交易。结果，他不但获得了补偿，还建立起了"把生意做到底"的信心。

现在，这位曾经"败"痕累累的阿乔已经是一位很成功的企业家了。

大道理 追求财富是值得尊敬的行为。人固然不能唯利是图，但是挣钱维生却是必需的。如果有谁故作清高、鄙视金钱，他的结果必然不会好到哪里去。

39. 彼得选妻

年轻时，彼得很是不屑于婚姻，可是过了几十年独身生活后，他终于厌倦了一个人的日子，他想结婚了！

因为是个理想主义者，彼得找来找去一直觉得人间没有他所渴望的完美女人，于是，他决定到天堂里祈求上帝给他选配一位理想的妻子。

听清彼得的祈求之后，上帝把他带到了一扇门前，告诉他说："从这扇门进去，你会发现许多扇门。每一扇门上都写着它所连接的女性的资料，你可以随意选择。"

彼得高兴极了，立即推开了那扇门。果然，又有两扇门出现了，一扇门上写着"终生伴侣"，另一扇门上写着"十年伴侣"。彼得当然选择"终生伴侣"！所以他推开了第一扇门。立刻，又有两扇门出现了，一个上面写着"年轻、美丽、纯洁的姑娘"，一个写着"成熟、普通但经验丰富的寡妇"。彼得又一次毫不犹豫地选择了第一扇门。现在已经是第三对门了，只见一个写着"身材苗条、标准"，一个写着"身材肥胖，且略有缺陷"。用不着多想，前一扇门肯定是彼得的选择。

已经进行了不知道多少次选择之后，这个庞大的"分检系统"还在继续着，彼得感觉这是一个很好玩的游戏，所以并不觉得疲倦。在又一对门前，他看到了这样两则信息：其一是"会织毛衣、会做衣服、擅长烹饪"，其二是"喜欢玩乐、不爱做饭、需要照顾"。显然，前一种女性更让彼得看重。

"这应该是最后一次选择了吧。"当两扇写有女性修养资料的门出现在眼前时，彼得高兴地想。他看到，那两扇门上一个写着"忠诚、知性、疼爱丈夫"，一个写着"风流、头脑简单、需要丈夫疼爱"。"这还用问嘛，傻瓜都会选择第一种女人！"彼得自作聪明地说道，然后推开了第一扇门。岂料他一脚踩空，立刻从天堂掉回了人间，摔得手脚生疼。

当他既恼怒又不解地站起来时，他看到自己的衣兜里被上帝塞了一张纸条，那张纸条上是这么写的："可怜的孩子，你已经'挑花了眼'。看来你只好继续独身了，因为任何女性都不会像你理想中的那样十全十美。记住：在理想与现实之间，盲目游走是最大的忌讳。"

大道理 世间并无完美事物，追求完美应当注意分寸。如果你不顾现实，盲目游走在理想的世界里，最终的结果只会是什么都得不到。

40. 只需要一颗心脏

好莱坞的著名影星利奥·罗斯顿最胖时，曾重 385 磅，腰围 6.2 尺。可是这么一个“庞然大体”，1936 年在英国演出时，只因一颗小小的心脏便一命呜呼了。

临终前，罗斯顿留下了他的遗言：“你的身躯很庞大，但你的生命需要的仅仅是一颗心脏!”他希望以此来警示那些患有心脏病还在拼命劳作的人们。

碰巧的是，1983 年，石油大亨默尔因与罗斯顿同样的心脏病症住进了同一家急救中心。为了让遍布美洲的数十家公司不至于在自己生病期间出现意外，他在病房里安置了五部电话机和两部传真机，除了必需的治疗时间外，他依然在玩命地工作。

很偶然地，默尔听说了罗斯顿的故事，当然，也包括那句伟大的遗言。这句话显然在很大程度上影响了默尔，他毅然决然地中断了病房里所有的通讯设备，开始积极配合医生的治疗。结果，他的心脏手术非常成功。出院后，默尔卖掉了他的公司，买了一幢地处偏僻、非常宁静的别墅住了下来。

当有人问起他为何在事业的顶峰做出如此惊人的决定时，他重复了一遍罗斯顿的遗言，然后说道：“这句话就是我卖掉公司的根本原因。”

大道理 没有什么比生命更重要。过多的财富与过胖的身体一样，都只是“拥有的”超过了“需要的”而已。但对健康而言，任何多余的东西都是负担。

41. 两只老虎

一只笼养老虎和一只野生老虎相遇了，攀谈之后，两虎都了解了对方的生活情况。

听笼养老虎说它从来不用自己捕食，主人总能给它提供新鲜的肉类时，野生老虎羡慕极了："老兄，你真是太安逸了，用不着挨饿，也用不着打斗。你看看我这一身伤，在森林里生活真是不容易啊，什么时候我才能过上你那样的生活啊。"

听到这里，笼养老虎立刻摇了摇头："你羡慕我？我还羡慕你呢，你是多么自由自在啊。我虽然衣食无忧，却不能像你那样想去哪里就去哪里。唉，什么时候我才能过上你那样的生活啊。"

野生老虎一听，心想正合我意，所以随口说道："既然我们都向往对方的生活，不如换一换活法，我进你的笼子，你去我的大森林，怎么样？"

笼养老虎听到这个建议，顿时喜出望外，于是两虎一拍即合，笼养老虎一路欢腾地跑进了大森林，而野生老虎则得意地钻进了笼子。

但是没过多久，两只老虎都死了，一只是因为饥饿，一只是因为忧郁。笼养老虎虽然获得了自由，却苦于没有捕食的本领；野生老虎过上了梦想中的安逸日子，却失去了享受大自然的心境。

大道理 倘若在羡慕他人的幸福中迷失方向，你就会对自己所拥有的幸福熟视无睹。别人的天堂也许并不适合你，甚至有可能是你的地狱。

42. 麻醉剂

维尔斯是位医生，因为看到一位病人不小心吸入笑气（N2O）而失去知觉，便猜测笑气具有麻醉功能。后来，他通过实验证明了这一点，并成功地给不少患者实施了拔牙手术。可是因为用量不足，在后来的公开表演中，他的那位已经吸入笑气的病人却在中途大声呼痛。为此，维尔斯受到了保守者们的嘲弄和侮辱，并被赶出了医院。遭此重创，再加上并不知晓自己失败的真正原因，忧郁而困惑的维尔斯最终放弃了对笑气的研究。

当时，维尔斯医生有个学生叫莫顿，他对老师公开表演的失败也感到大惑不解，于是便去请教当地著名的化学教授杰克逊。

杰克逊教授在与莫顿的聊天中提到：在一次化学实验中，由于不慎吸入氯气，他中了毒。为了解毒，他又不得不大吸了一口乙醚。不料，刚开始时他感觉浑身轻松，没过几分钟他便失去了知觉。

听到这里，勤于思考的莫顿大胆设想到：能不能把乙醚作为一种理想的麻醉剂呢？于是，回到学校之后，他动手试验起自己的设想来。结果，无论在动物身上还是在人身上，乙醚都被证明是一种理想的麻醉剂。

1846年10月的一天，由莫顿主持的、世界首次使用乙醚麻醉的外科手术大获成功。为此，还在读医学院二年级的莫顿一举成名。此后不久，乙醚麻醉剂迅速成了各家医院手术室里不可或缺的药品，为全世界的病人带来了莫大的福音。

为了奖励这项医学外科史上的重大发明，美国国会拿出了10万美金的巨款。可是谁也没想到，为了争夺这笔巨额奖金，维尔斯、杰克逊和莫顿竟然打了起来。他们争相证明着自己才是麻醉剂的真正发明人，并殚精竭虑地攻击、谩骂和否定着其他两位，以致这笔钱在10年之后还无法发放。

可是由于长期陷入诉讼中，他们三个人都背上了巨大的精神压力。最终，维尔斯医生得了精神病，莫顿自杀身亡，而杰克逊教授则因诉讼负债累累，迫不得已逃离美国。

唉，他们的发明为全世界的病人驱走了肉体上的痛苦，却让他们自己堕入了精神痛苦的深渊。他们无法用自己的发明来医治自己，因为麻醉剂只能够麻醉神经，麻醉不了人们的贪婪之心。

大道理 即便是纯洁美好的动机，一旦沾上名利的色彩，也会变成摧残人们生命与精神的恶魔。肉体上的痛苦尚可以用药物来消除，贪婪所带来的精神痛苦却无药可救。

43. 精神病人与驯兽师

他是一位因为失去亲人而精神崩溃的青年，在精神病院治疗了半年之后，已经基本痊愈。只是，出院后他才发现，自己总会触景生情，一次又一次走近崩溃的边缘。没办法，他又找到了那位主治医生。

“你现在做什么工作？”医生问他。

“操作工。”说完这几个字，青年的情绪就烦躁起来，“每天十来个小时不停地重复那种机械的动作，即便没有精神病史，我早晚也会疯掉。”

“哦，原来是这样。”医生想了想，建议道，“如果你信得过我，就把这份工作辞掉，到动物园或游乐场找一份驯兽师的工作干。”

青年听从了这位医生的建议，辞掉原来的工作做起了驯兽师。半年后医生再看到他时，他已经是一个精神焕发、活力四射的小伙子了。

“这可真神，您能告诉我是为什么吗？”青年问医生。

“挑东西，两头重量差不多才走得稳；提箱子，两手各提一个才容易保持平衡。我用的就是这个原理。你只有找一份能让你时刻高度紧张的工作，你原来的高度紧张才可能得到缓解和根治。”医生说。

原来，排解精神负担的最好办法是去承担另一份精神负担。

大道理 当我们集中精力去做某件事时，与这件事不相干的一些外界因素、不良情绪等往往会远离我们，这就是排解精神压力的良方。

44. 送花的妇人

杰克死于一场车祸，他的母亲亚当夫人把他葬在郊外最好的墓园中，然后给了守墓人好大一笔钱：“我的身体非常不好，如果我不能来的话，麻烦您每周都买一束花放在我儿子的墓碑前。”守墓人答应了。

几年之后，守墓人又一次见到了这位夫人。当时，是她的司机架着她走下车的。她给儿子送来了好大一抱花：“亲爱的孩子，我真高兴，我就快要见到你了。你知道吗？自从失去你以后，妈妈感到万念俱灰，再也没有什么生活的乐趣和意义了。昨天，我去戴维医生那里，他告诉我，我已经没有多长时间了。说实话，我很开心，反正我活着既没用又没意思，所以还不如死了好。最起码，到了天堂，我能再见到你，我的宝贝杰克。”

“夫人，你不觉得把鲜花放在这儿是一种浪费吗？你看它们没几天就干了，也没人闻没人看的。”守墓人站在亚当夫人的身后说。

这句极其不合时宜的话显然让亚当夫人非常震惊和生气，她转过身来，几乎是怒不可遏地盯住了守墓人。

“我经常去福利院、孤儿院，每次我带花过去的时候，那些老人或孤儿们可高兴了。只有活人才需要花，才会因为花得到乐趣，给死去的人送花有什么意义！”尽管看出了对方的不满，守墓人还是固执地说出了心里话。

听到这几句话，亚当夫人愣住了，然后，她让司机架着她走了。

“唉，看来我得罪她了，真是罪过，我干嘛非要去惹一位深爱着儿子而且将不久于人世的老太太呢？看她那种形容枯槁的样子，我应该劝慰她才是。”看到老妇人一声不吭地转身离去，守墓人自责地自言自语道。

不想几个月后，面色红润、精神矍铄的亚当夫人居然自己驾车来看望儿子了。她依旧抱了好大一束花，不过不是送给儿子的，而是送给守墓人的：“谢谢你上次直率的提醒，这对我真是意义非凡。回家后我就去了孤儿院，那些孩子们看到花果然非常高兴，他们又蹦又跳。我真是太快活了，你看我的病几乎都好了，因为我发现我活着原来还是有些用处的！”

大道理 精神的力量是巨大的。如果总认为自己没用，我们就会渐渐变成一具行尸走肉；寻找到自己活着的意义，我们才能快乐无比、活力四射。

45. 长寿的秘诀

吉尼斯大全记录了一位世界上最长寿的人，她就是法国的喜娜·卡尔基女士，她生于1875年，死于1997年，整整活了122岁零164天。

在她121岁生日时，有记者曾经问过她长寿的秘诀，但她笑而不答，只给记者讲了这么一个故事：

90岁时，法国小有名气的法律公证人拉伯莱曾找到她，向她提出过这么一个方案：由拉伯莱按每月2500法郎向卡尔基支付养老费，条件是在她死后她祖先留下的那幢房子归拉伯莱。卡尔基笑了笑，非常爽快地答应了这一提议，并到公证处做了公证。

拉伯莱拿到公证书时，差点乐晕了头：自己才46岁，年轻力壮，最少还能再活30年；而卡尔基已经90岁，最多不过七八年活头。这样，自己便可以最多花20万得到她那套价值远远高于20万的房子了。

但是谁都没想到，卡尔基每天乐哉悠哉，就是不死。而拉伯莱却因为承担着高额的养老金，郁郁寡欢，每况愈下，终于在77岁时先卡尔基而去。他最终也没能得到那套梦寐以求的房子，尽管他为之偿付了将近百万法郎的养老金。

“保持一颗善良的心，别琢磨别人、算计别人，整天笑对一切，这就是长寿的秘诀!”卡尔基老人说。

大道理 善良、快乐是健康，贪婪、抑郁是病魔。正所谓“药补不如神补”，吃再多的补品也不如有个好的心境，长寿的秘诀就这么简单。

46. 时间纽扣

偶然的一个机会，这位小男孩得到了一枚神奇的时间纽扣，如果想让时间过得快一点，他只需要把纽扣向顺时针方向拧一下就行了。

上小学时，因为放学与假日总是迟迟不来，男孩烦透了，他想立刻走到自己大学毕业的时候，于是他便拧了拧那枚纽扣。瞬时，奇迹出现了，他已经长成了英俊的大小伙子，正坐在毕业典礼上等待着领取毕业证书。

毕业证书拿到了，小伙子开始忙忙碌碌的找工作。半个月后，他烦了，心想如果现在我已经找到了工作该有多好，于是他又把纽扣拧了拧。现在，已经身为总经理的他正坐在宽敞明亮的大办公室里，指挥着上千人的大公司的运作。

这样的日子过了约摸一年，小伙子又烦了——我总不能一个人这样过下去吧，不行，我要找个漂亮女人结婚。不知不觉中，他又拧了一下纽扣，顿时，气派的新房子里，他梦寐以求的迷人新娘出现了。

就这样，他一直随着心中所想拧动着那枚有魔力的钮扣，他原本计划在10年内买下一座带花园的别墅，但几秒钟这个梦想便实现了；他还想在10年内拥有一大群孩子，然后看孩子穿梭在花香四溢的后花园中……

他一次又一次拧动着纽扣，正当他为自己的梦想如此顺利地实现而得意非凡时，一位白发苍苍而且病恹恹的老太太走过来招呼他吃饭。

“你是谁?”他不解地问道。

“傻瓜，我是你老婆啊，怎么了你，连我都不认识了?”老太太咧着没牙的嘴笑道。

“天哪!”他看看镜中的自已，早已经是须发皆白、老态龙钟了。

这时，他才懊悔不已：同样是一辈子，但他却几乎没有少年、青年与中年，而是一下子由童年过渡到了老年。

“不，”他老泪纵横地喊道，“还是让我一步一步走完我的一生吧，我愿意耐心地等待。”他刚说完，手里的纽扣便开始回旋，几秒钟之后，他便又回到了孩时的课堂上。他扭头看看窗外，天空蔚蓝，鸟儿欢叫，连烦人的蝉鸣此刻听来都那么悦耳。

原来，人生是不能跳跃着前行的，只有耐心等待才能真正体会到生命历程的种种乐趣。

大道理 人生无法跳跃着前行，如果急不可待地催促时间快跑，你只会连现在和未来一起错过，而其中的苦乐滋味与珍贵意义，也必将被一并错过。